『明鏡国語辞典』編者
北原保雄 編著

続《ぞく》弾《だん》！問題な日本語

何が気になる？どうして気になる？

大修館書店

編著者

北原　保雄（『明鏡国語辞典』編者。筑波大学名誉教授。前筑波大学長。日本学生支援機構理事長）

小林　賢次（『明鏡国語辞典』編集委員。京都女子大学教授。東京都立大学名誉教授）

砂川有里子（『明鏡国語辞典』編集委員。筑波大学教授）

鳥飼　浩二（『明鏡国語辞典』編集委員。辞書学）

矢澤　真人（『明鏡国語辞典』編集委員。筑波大学助教授）

絵

いのうえさきこ

まえがき

前書の『問題な日本語』は大きな反響を呼び起こし、日本語に関心を持つ人がとても多いことを改めて痛感させられた。この本をきっかけに、テレビ、ラジオ、新聞、雑誌などで日本語の問題が盛んに取り上げられるようになり、日本語ブームが再び到来した感がある。

ほんとに多くの方々からたくさんの感想をいただいたが、特に、「まだ、こういう変な日本語もある。是非、続編を出してほしい」という希望がとても多かった。私どもも、続編を出すことは当初から考えていたのだが、たくさんの方々に所望されることは嬉しいことだった。今回は、前回のもの以上に問題な日本語を取り上げ、さらに力を入れて書いたので、読み応えのあるものになっているはずである。

「続弾」という語は辞書には載っていないかもしれないが、第二弾の意である。前書に続いて、変な言葉を使ってしまったが、本書の愛称にしていただければ幸いである。

二〇〇五年一〇月

鏡郷文庫主人
北原　保雄

もくじ

わけわかんないし。　163

なんで「し」を付けちゃうのか、
言ってる本人も
よくわかってないし。

まじ　132

「まじうまい」と「ちょ～うまい」、
どっちのほうが「うまい」のか？
「ちょ～」をやっと憶《おぼ》えた父の、新たな悩み。

やばいよ、この味　96

初デート、
彼女と一緒に見た映画の感想は「やばかった！」。
…どうだったのか、いまだに悩んでます。

歌わさせていただきます　63

思わず〝歌わさせてあげたくなくなる〟
うっとうしさ。

お疲れ様・御苦労様　160

疲れた上司を慰める言葉は、どっちが正しい？　by 部下
そんなことで悩むより、業績アップで慰めて！　by 上司

ご利用いただけます　34

「一万円からお気軽にご利用いただけます」
キャッシング広告に秘められた深いニュアンス。

微妙 56

ママのカニ玉、お味はどう?　「…ビミョー」
パパの昇進、そろそろかしら?　「…ビミョー」
…人生、「ビミョー」としか答えられない時もある。

足元がおぼつきません 170

足元はともかく、
日本語がおぼついていないんですが。

三タテ 80

「タイガース、対ジャイアンツ戦3タテ!」
…3連勝したのは、
タイガース?　ジャイアンツ?

役立たせていただきます 74

「ヤクダタセテイタダキマス」?
「ヤクダテサセテイタダキマス」?
確かに舌をかみそうではありますが…。

コーヒーの味にこだわる 24

かくいう執筆者陣も、
日本語に相当こだわってます?

普通においしい 59

「普通におもしろかった」って言われて凹《へこ》んでます…。　by 芸人
大丈夫、それ、ほめ言葉ですから~。

使うのはどっち?

執筆者
北原保雄
小林賢次
砂川有里子
鳥飼浩二
矢澤真人

絵
いのうえさきこ

千円からお預かりします

［質問］　会計のとき、「千円からお預かりします」などと言われますが、「から」を使うのはおかしいのではないでしょうか。

［答え］　スーパー、コンビニエンスストアやファミリーレストランなどでよく耳にする言葉ですが、最近では、喫茶店やパン屋さんなど、どこでも使われています。逆にお客などの指摘で気づいて改めたところも出てきているようですが、勢いは衰えそうにありません。

　この言い方で問題なのは、①ご質問のように、「から」の使い方が変だということと、②「預かる」という言い方が変だ、ということの二点です。

使うのはどっち？　1

「舌鼓（したづつみvs.したつづみ）」、どっち？

おいしい物を食べたときに舌を打ち鳴らすことを「舌で鼓《つづみ》を打つ」と喩《たと》えたもの（古くは「舌打ち」と同じ意味にもいった）。したがって「したつづみ」が正しく、「したづつみ」は、「つ」と「づ」の清濁の転倒。本来は誤りだが、かなり広く使われていて、一般に転化した語形として扱われている。（小）

まず①についてですが、確かに「千円から預かる」という言い方は変です。「〈人〉から〈もの〉を預かる」のであって、「〈もの〉から預かる」ということはありません。インターネットに面白い解釈がありました。資本主義の世の中だから、客よりも金のほうが重視される。代金を払う段階になって、客の人格は無視され、「客＝金」という関係が成り立てば、「千円（と等価関係にある客）から（客と等価な価値の金を）お預かりします」と解釈できる、というものです。こんな風にでも解釈しないと、「〈金額〉から預かる」という言い方の妥当性は弁明することができません。

千円「を」預かって、そこ「から」代金を差し引いていただきます、ということなのだろうと説明する人もいますが、「千円ちょうどからお預かりします」という言い方もされており、この言い方についての説明ができません。

消費税の導入に関係があるという人もいます。支払いのときに、小銭が必要になる。千円札を出された店員は、「小銭は出

使うのはどっち？ 2

「行く（いくVS.ゆく）」、どっち？

「いく」が一般的で、「ゆく」はやや古めかしくて文語的だという傾向は認められるが、一方しか用いられない場合があり、単純ではない。「いって」「いった」「いったり」などは言えるが、「ゆった」「ゆって」「ゆったり」などとは言えない。逆に、「行く年」「行く春」「行く末」「行く行く」などは「ゆく」が一般的だろう。「いく」「ゆく」は古くからともに用いられてきたが、両方が使える場合、一方しか使えない場合があって複雑だ。（北）

ますか？」という気持ちで、「千円からでよろしいでしょうか？」と尋ねたくなる。そして小銭がないとなると、「千円お預かりします」となるので、それが短縮されて「千円からお預かりします」になった。納得できるような気もしますが、今度は「千円からでよろしいでしょうか」という言い方は変ではないかという新しい問題が出てきます。

私の結論を申し上げますと、「まずは千円から」「取りあえず千円から」という気持ちで、この言い方をするようになったのではないかと想像しています。「まずは千円から、代金を仮にお預かりします」という気持ちです。そういう気持ちで千円を預かるのは全く問題ないのですが、これを「千円からお預かりします」と表現するのはやはり間違いです。千円から「何を」預かるのか、預かった何か（たぶん代金）は返すのかというようなことになるからです。

次に②についてですが、こちらも変だと感じている人が多いようです。「預かる」のなら返すのか。ちょうど支払っている

使うのはどっち？ 3

「引きぎわが{いさぎよい vs. いさぎいい}」、どっち？

最近、テレビでよく聞く言い方に「いさぎいい」がある。「小気味《こきみ》よい→小気味いい」「心地よい→心地いい」などにならって、「いさぎよい→いさぎいい」としたもの。「いさぎよい」はもともと語源不詳、語の切れ目が不分明で、「いさぎ」が「よい」というわけではなく、「いさぎ-よい」と分けられるものでもない。一説には、「勇清《いさきよ》し」の意とも言われる。最近は「いさぎ(が)悪くて、いやな感じ」などの言い方まであ

のに「預かる」というのはおかしい。「クレジットカードからお預かりします」はもっとおかしい。いろいろな意見が寄せられています。

支払った金は預かるのではなく貰《もら》うのですから、「千円をいただきます」「千円頂戴します」などと言うのが正しく、「お預かりします」は間違いです。それにしても、どうしてこういう誤った言い方がされるようになったのでしょう。「〜のほう」などと同じで表現を婉曲《えんきょく》にしているのだという意見がります。確かに、「貰う」よりも「預かる」のほうが直接的でなく婉曲になるかもしれません。しかし、貰うときに預かるというのは間違いです。いつ返してくれるのか、ということになります。

「預かる」のはお客様からの消費税だという人もいます。「千円から（消費税を）お預かりします」という気持ちで言っているのではないかというのです。消費税は一時的に客から預かって決まった納期に国などに納めるものですから、なるほどとも

るが、「いさぎいい」「いさぎ悪い」は、ともに誤用である。（鳥）

思いますが、肝心の「消費税を」を省略して、「千円から」のほうを表現するということがあるでしょうか。この解釈には無理があるようです。

他にもいろいろな解釈があるでしょうが、ここで、スーパーやファミリーレストランなどのレジを想像してみてください。レジの係の人は客の渡した代金を直接レジの中には入れません。紙幣であれば、客にも見えるようなところに磁石で留めたりしています。これは五千円札を預かったのに一万円札を渡したと言われることのないような予防策なのだそうです。また、小銭を含んでいるときには、皿の中に入れるようにします。こういうときに、レジの係の人は何と言えばいいのでしょうか。まだ貰っているわけではありません。まさに預かっているのです。客の渡した金（多くの場合釣り銭を含んだ）をまず預かり、確認し、釣り銭を返し、そして代金を貰うのです。ですから、そういう場面で、「千円お預かりします」というのは全く問題ありません。「カードをお預かりします」も同様に全く問題のない

使うのはどっち？ 4

「頬（ほほvs.ほお）」、どっち？

もともと「ほほ」だったが、*ハ行転《てん》呼《こ》で「ほお」と発音されるようになったもの。室町時代末期のキリシタンの人々によるローマ字表記によると、ホウと長音化していたことがわかる。ただし、語形が短くて不安定なためか、近年「ほほ」の形も復活している。語形のゆれなので、どちらを使っても間違いではない。なお、語源が不明な「ほほえみ（頬笑み）」を除くと、複合語では、「ほおべに（頬紅）」「ほおかぶり（頬被り）」など、ほぼ「ほお」で固定し

言い方です。最後に例えば「（千円の中から代金）九百八十円いただきました」と言えば完璧なのでしょうが、そこは飛ばして「ありがとうございました」とだけ言うことが多いのでしょう。

このように解釈しますと、①の「まずは千円から」という解釈ともうまく結びつきます。代金を貰う前に、取りあえずまずは千円から、預かるというわけです。

消費税の導入に関係があるという意見がありましたが、消費税のせいもあり釣り銭の必要な場合が増えて、レジの係が金をまず預かり、釣り銭を返して支払いが完了することが多くなったということでしょう。

ただ、しかし、これだけ「お預かりします」は変だという声が強く大きいのは、上記のような場面ではないところ、つまり「預かる」場面ではないところで使われているからでしょう。

（北原保雄）

ている。（小）

＊ハ行転呼＝語中・語尾のハ行音が、ワ行・ア行に転じて発音されるようになる現象。「かは（川）」が「かわ」に、「おもふ（思ふ）」（ハ行四段活用）が「おもう」（ワ行五段活用）に転じるなど。平安時代の後期（一一世紀ごろ）から次第に一般化した。

ポイント

「千円からお預かりします」は、「まずは千円から、仮にお預かりします」という気持ちで言っていると思われますが、表現としては誤りです。

「千円（を）お預かりします」は、代金を受け取る前の表現としては問題ありませんが、代金をそのままレジに入れたり、代金ちょうどを受け取ったりするような、「預かる」段階のない場面で言うと、不適切な表現となります。

【○○円からお預かりします】

チン!
1050円おあずかりします
チン!
2100円おあずかりします
チン!
4980円おあずかりします
さてと
そろそろあずけた金返してもらいたいんだけどー
1000円からおあずかりしまーす
横からおあずかりしまーす♡
オイまてコラ

ご負担いただくようなかたちになっております

［質問］　最近、「～というかたちで…」「～ようなかたちに…」などの表現が多用されているのが気になります。適切な言い方でしょうか。

［答え］　ご指摘のとおり、最近では、「かたち」という語が頻繁に使われています。まずは例をいくつかご覧ください。

・当社としましてはアフターケアを徹底させるというかたちでサポートさせていただいています
・お客様にご負担いただくようなかたちになっております
・子どもたちが不登校やひきこもりなどというかたちで苦しみ、自殺というかたちで絶望を表現し…
・ミスを警戒する、というかたちではなく、ミスを恐れず攻

使うのはどっち？　5

「拱く（こまぬくvs.こまねく）」、どっち？

本来は「こまぬく」。「こまねく」は、それが転じた形だが、最近では「こまねく」を使うことが多くなった。「こまぬく」が正しいという主張もありうるが、「こまねく」がこれだけ一般化してくると、もはや誤りとして片づけるわけにはいかない。腕組みをする意だが、現在ではもっぱら「手［腕］を～」の形で慣用化し、何もしないでいる、傍観する、という意味で使うようになった。（小）

め抜く、みたいなかたちにならないか

これらはどの例も、「かたち」を用いずに次のように言い表すことが可能です。

・当社としましてはアフターケアを徹底してサポートさせていただいています
・お客様にご負担いただくことになっております
・子どもたちが不登校やひきこもりなどで苦しみ、自殺で絶望を表現し…
・ミスを警戒するのではなく、ミスを恐れず攻め抜けないか

このように、「かたち」という語がなくても意味は十分に通じます。それなのになぜこんなに「かたち」が使われるようになったのでしょうか。

そもそも「かたち」というのは、見たり触れたりしてとらえることのできる具体的な物の姿や抽象的な物の姿を表す語です。例としては、「研究の成果がかたちになる」「これまでの努力をかたちにする」などがあります。これらは「結果としてのまと

使うのはどっち？ 6

「場合（ばわい・ばやい・ばあい）」、どれが正しい？

「場合」はその場面に合っていること、それに合っている場面、などの意で、文字通り「ばあい」と読むのが正解。「バア（ba・a）」と母音が連続して発音しにくいので、「ア」に母音に近い子音（半母音）［j］や［w］を冠して「ヤ」や「ワ」と発音したのが、「ばやい」「ばわい」。実際の会話ではよく聞かれるが、訛《なま》りである。（北）

まり」が人に分かるような「姿」として現れることを表しています。また、「かたちを取りつくろう」「かたちばかりの挨拶」などと言えば、「物事の内面ではなく表面的な姿」すなわち「表面的・形式的な側面」という意味を表します。

一方、「内面」と「表面」の関係が逆転して、「表面」とは違う「内面」、すなわち、「表向きとは違う実際の姿」という意味で使われることもあります。「こう物価が上がっては、給料が下がらなくても減給されたかたちになってしまう」「規則はともかく事実上は認可しないかたちになる」のような場合です。

また、物事の「やり方」や「状態」という意味で「かたち」が使われることもあります。「半分ボランティア、半分ビジネスというかたちで関わった」「親に付いて行くというかたちで留学した」などがこの例で、「実際のやり方や状態」という意味を表しています。

このように「かたち」という語は実にさまざまな意味で用いられます。私たちはさまざまなことがらを「かたち」としてと

使うのはどっち？ 7

「幕間（まくあいvs.まくま）」、どっち？

「まくあい」が正しい。芝居で、一幕が終わり、次の幕が始まるまでの間をいうもの。「幕の内弁当」の「幕の内」も同類で、演劇用語から出て一般化した語である。近年「まくま」という言い方も聞かれるようだが、漢字表記の「幕間」を誤読したもので、避けたい。（小）

らえているわけです。それが原因となって、必要のない時でも「かたち」が多用されるという現象を生み、違和感のある用法にまで拡張しているのだと思います。「その場合には私が電話させていただくというかたちになります」「お値段のほうは〇〇円というかたちになります」などの例が読者から違和感のあるものとして寄せられています。「やり方」や「状態」という意味で使われているのでしょうが、「私が電話させていただくやり方になる」だの「〇〇円という状態になる」などと言うのはいかにも回りくどく分かりにくい言い方です。

最近多用されるこの種の用法は、ビジネスやニュースや講演など、公的な場面で耳にすることが多く、特に接客業で頻繁に使われているように思います。多少改まって、客観的で高尚な話し方をしたい、商売相手や顧客に丁寧な物言いをしたいといった気持ちが「かたち」の多用を生んでいるのではないでしょうか。「お客様にご負担をお願いしています」とお願いするよりも「お客様にご負担いただくようなかたちになっておりま

使うのはどっち？ 8

「幕開《まくあ》け」vs.「幕開《まくあ》き」、どっち？

「幕が開《あ》く」意では「幕開き」、「幕を開ける」意では「幕開け」となり、どちらも使われる。「かいまく（開幕）」と音で読んだ場合も、「幕開き」「幕開け」のどちらの意ともとれる。もともとの形は「幕開き」で、歌舞伎など演劇用語では、現在も「幕開き」が普通。ただし、「新時代の幕開け」のように、広く転じた用法では、近年は「幕開け」を使うことが多くなっている。（小）

す」と状況を描写する客観性を持たせたほうが自分の責任も回避できるし、より間接的で丁寧な表現だと感じられるのでしょう。「アフターケアを徹底してサポート致します」というのはずいぶん能動的で積極的な物言いですが、このような前向きの姿勢は少し攻撃的だと感じられるかもしれません。それよりはむしろ「アフターケアを徹底させるというかたちでサポート致します」と物事をより一般化・より客体化した言い方で表現し、「そのような方法・手段をもってサポートする」という意味に変えたほうが丁寧だし改まっていると感じられるのでしょう。

しかし、「かたち」という語がなくても意味が通じる場合にことさらに「かたち」が使われると耳障りに感じます。特に接客の場面では、無責任だ、回りくどくて分かりにくい、形式的でよそよそしいといった印象を客に与えるおそれもあります。

最近では間接的でぼかした言い方が好まれますが、「かたち」の多用もその一つの現れではないでしょうか。他人とのぶつかり合いを避け、希薄な人間関係の中で無難に生きるという臆《おく》

使うのはどっち？ 9

「万事窮《きゅう》す」VS.「万事休す」、どっち？

「万事休す」が正しい。この場合の「休す」は、やむ、終わるの意で、もはやすべき手段がないことをいう。中国の『宋史』が出典。ここに「窮す」を用いるのは誤用で、「窮する」は、「返答に窮する」などと使うように、行きづまって困る意。意味が近いこともあって、誤解している向きもあるようだが、正しく使いたいもの。(小)

病《びょう》な人間が増えてきていることの現れと言ったら少々言い過ぎかもしれませんが。

（砂川有里子）

ポイント

●「かたち」を使わなくても意味が通じる場合にことさらに「かたち」を使うと、耳障りだ、無責任だ、回りくどくて分かりにくい、形式的でよそよそしいといった印象を与えます。

コーヒーの味にこだわる

[質問]　「コーヒーの味にこだわる」などの言い方がありますが、「こだわる」は、本来悪い意味に使うものだったのではないでしょうか。

[答え]　「こだわる」は、江戸時代から見られる古い例では、物がつかえるとか、なんくせをつける、といった意味で使われていたようです。その後、小さなこと、他人から見ればそれほど大事でもないことにとらわれるという意味で伝統的に使われてきました。もっとも、次のような例を見ると、一つの側面だけを重視しすぎたり、あることにいつまでもかかずらっていたりすることが問題で、必ずしも小さなこと、ささいなこととは言えないかもしれません。

使うのはどっち？ 10

「短刀直入」vs.「単刀直入」、どっち？

ひと振りの刀で(一人で刀を持って)敵陣に切り込むの意で、「単刀」は、ひと振りの刀、ただ一人で刀を振るうこと。「短い刀」で直入するというのでは意味をなさない。「単刀直入」が正解。前置きなしにすぐ本題にはいること。(北)

・この歌にしても、あまり内容にこだわり、そこに微妙で複雑な完熟した大人の逆説を読みとるよりも、いかにも清潔で優しい殆ど潮の匂いがする様な歌の姿や調《しらべ》の方に注意するのがよいように思われる。（小林秀雄・実朝）

・勝負にこだわっていない証拠に、加藤は、彼が勝っているにもかかわらず、レシーブの姿勢を取ったままでいた。（新田次郎・孤高の人）

「勝負にこだわって、フェアプレーの精神を忘れた行為」のような使い方でも、勝負の結果はもちろん大切なことのはずですが、もっと大切なものがある、という含みが出てきます。いずれにしても、「こだわる」という言葉は、それに執着しすぎるというマイナスの評価が伴うものでした。

ところが、一九八〇年代ころからでしょうか、「自然の味にこだわる」「素材［品質］にこだわる」といった表現が使われるようになりました。「こだわりのコーヒー」のような宣伝文句も登場してきます。おもに新聞記事から多くの用例を集めて

使うのはどっち？ 11

「腑《ふ》に落ちない」vs.「腑に落ちる」、どっち？

最近「腑に落ちる」という言い方が目立つような気がして、編集部の検索資料で使用状況を調べてみた。全三六〇例のうち、「腑に落ちない」「腑に落ちがたい」「腑に落ち兼ねる」など、否定的意味で使うものが三四〇例。肯定形「腑に落ちる」で使うものが二〇例で、露伴・漱石・菊池寛・長与《ながよ》善郎《よしろう》・茂吉などの使用例がみつかった。五％の使用率であるが、〈肯定形派〉は昔から結構いたのだ。（鳥）

論述した書物もありますが、そうしたものを見ると、食べ物などの物品から「自分の生き方［ライフスタイル］にこだわる」といった精神的な志向まで、さまざまに使われてきていることがわかります。こうしたプラスの評価に用いた「こだわる」は、他人はそれほど気にしないかもしれないが、自分にとってはきわめて大切なものとして、ゆるがせにできない、といった意味で、自負・意気込みを持って徹底的に追求する気持ちを表しています。価値観の多様化した現代の新しい感覚を表すものと言えるかもしれません。

こうした用法は、従来のマイナス評価の意味になじんだ人に違和感を与える面があり、批判的な立場をとる人もいるようですが、現在広く使われており、すでに定着した言い方だと考えてよいと思います。意味の変化にはさまざまなケースがありますが、この「こだわる」の場合、マイナスの評価だったものが、プラスの評価にも使われるようになったわけで、意味の上昇の一例ということになります。一般に、意味の下落という現象は

使うのはどっち？ 12

「三日に上げず①・三日をあけず②・三日とあけず③・三日も上げず④・三日を上げず⑤」、正しいのはどれ？

正解は「三日に上げず」。間をおかないで、ほとんど毎日のようにの意で、「三日に上げず通いつめる」などと使う。本来の語源がすっかり忘れられて、勝手な解釈に基づく、②～⑤の言い方が見られるが、①以外はすべて誤り。「三日」は文字どおりの意ではなく、「三日坊主」などという場合の三日で、短期間の意であるから、これを「四日、

よくあることで、代名詞「お前」という語が、貴人をさす尊敬語から、対等以下の相手を呼ぶものに転じたり、「坊主」という語が、寺の主《あるじ》の僧という意味から僧を広くさすようになり、のちに（坊主頭の）男の子をさすようになったりするなど、いろいろの例が指摘できますが、意味の上昇の例はなかなか見当たりません。現代の用法の中で、こうした評価の変動が位置づけられるのは興味深いところです。

（小林賢次）

ポイント

●「コーヒーの味にこだわる」などの「こだわる」は、マイナスの評価に使われていたものがプラスの評価にも使われるようになった珍しい例で、違和感を覚える人もいる用法ですが、現在では定着した言い方と考えてよいでしょう。

五日…」などとするわけにはいかない。「上げず」は、〈終わりにしないで〉の意。「三日に上げず」で〈短期間で終わりにしないで、ほとんど毎日〉の意となる。（鳥）

コーヒーで大丈夫ですか

[質問]　ランチセットの注文を取りに来たウエートレスに「お飲み物はコーヒーで大丈夫ですか」と尋ねられ、返事に困りました。このように「大丈夫」を使ってよいのでしょうか。
[質問]　書店で働いていますが、「(本に)カバーはお付けしますか?」と聞くと「大丈夫です」と言われます。答えになってない気がしますが、いかがでしょうか。

[答え]　「丈夫」のもともとの意味は一人前の男子のことです。それに「大」をつけることで「丈夫」を讃え、「才能が優れた立派な男」という意味を表したのです。このように、「大丈夫」という語は「丈夫」の美称でした。そこからさらに、健やかで元気だ、しっかりしていて問題がない、危なげがなく安

使うのはどっち? 13

「軌《き》[揆《き》]を一《いっ》にする」vs.「機を一にする」、どっち?

「軌」は筋道、「揆」ははかりごと・方法の意。「軌を一にする」は慣用的な固定表現で、考え方・やり方を同じくする意。「揆を一にする」も、全体の意味は変わらない。一方、「機を一にする」は、単に時期を同じくするの意でいうもの。こちらは慣用句ではないから、「期を一にする」「時《とき》を一にする」ということもできる。「プロジェクトの開始と機を一にして…」など、時期を同じくして、の意のと

心できるといった性質・状態を表す意味に変わったのです。現在では、「健やかで元気だ」の意味は「丈夫」が受け持ち、「大丈夫」は「しっかりしていて問題がない」「危なげがなく安心できる」などの意味で使われています。

さて、ここでいくつかの事例を見ながら、「大丈夫」という語がどんな使われ方をしているのか確認しておきましょう。

ころんで泣いている子供に、「大丈夫？」と尋ねるのは、けがはないか、大事はないかを問いただしているのです。けががないことを確認して「大丈夫だよ、泣かないで」と声をかけるのは、大事はないから安心しなさいと慰めているのです。「高校卒の資格で大丈夫ですか」というのは、「それだけで十分ですか」の意味ですし、「メール、日本語で大丈夫ですか」というのは、「日本語で問題ないですか」の意味です。

このように「大丈夫」は、使われる場面によっていろいろに解釈されますが、どの事例も「しっかりしていて問題ない」「危なげなくて安心できる」といった意味に支えられています。

きに「軌[揆]を一にする」を使うのは、誤りとなる。(鳥)

ところで、「問題ない」とか「危なげない」などの意味を含む表現は、〈問題がある〉や〈危なっかしい〉ことが想定される場面で用いられるのが普通です。たとえば、「メール、日本語で大丈夫ですか」というのは「日本語で書いたら読めないかもしれない」という問題が想定されて出てくる問いかけです。そのような想定がまったく考えられないところで「大丈夫」を使ってしまうと、少し変な言い方になってしまいます。

筆者がよく経験することですが、美容院でシャンプーしてもらうとき「湯加減は大丈夫ですか」と尋ねられ、それに釣られて「大丈夫です」と答えてしまって、何か落ち着きの悪さを感じます。カットの仕上がりを確認するのに「これで大丈夫ですか」と聞かれたときも何か変だなと感じます。プロなのだから、湯加減やカット技術に問題があってはいけないはずなのに、「大丈夫ですか」と尋ねることがおかしいし、問題など想定していないのに「大丈夫です」と言ってしまうほうもおかしいわけです。

使うのはどっち？ 14

「以心伝心」vs.「意心伝心」、どっち？

「心を以《もっ》て心を伝《つた》う」という意の漢語。「心を以て(=心で)」ということだから、「以心」が正解。もと禅宗の言葉で、言葉や文字によらずに心から心に仏法の真理を伝えること。また、一般に言葉によらなくても互いに気持ちが通じ合うこと。(北)

レストランや書店での質問者の経験も、同じような理由でおかしいと感じられたのだろうと思います。コーヒーでいいかどうか、カバーを付けるかどうかという単なる確認の場面なのですから、ことさら問題を想定する必要はありません。そのようなときに「大丈夫」を使うから違和感が生じたのです。

「大丈夫」は、語の形自体は肯定ですが、「問題ない」「危なげない」などの表現と同様に否定の意味を含んでいます。この種の表現は、「うまいよ」「いいね」などと素直に肯定すればよいところを、少し斜に構えてひねった言い方をしているわけです。そうすることで素直な肯定表現にはない何らかの「思い」を伝えているのでしょう。一方、特にそのような思いを伝える必要のない場面では、素直な肯定表現を使ったほうがいいだろうと思います。質問のケースも、素直に、「お飲み物はコーヒーでいいですか（よろしいでしょうか）」、「はい」「いいえ」（あるいは「付けてください」「付けなくていいです」）などと言えばいいのではないでしょうか。

（砂川有里子）

使うのはどっち？ 15

「御頭《おかしら》つき」vs.「尾頭《おかしら》つき」、どっち？

「尾」と「頭」の付いた焼き魚のことだから、「尾頭つき」が正解。神事やお祝いのときに用い、「めでたい」に通じることから、鯛《たい》を使うことが多い。めでたいときに用い、神に供えたりすることから、敬語の「御」と書きがちだが誤り。なお、鯵《あじ》などについては、「姿焼き」という言い方がある。（北）

ポイント! 問題のあることを特に想定する必要のない場面、「いかがですか」「いいですか」と尋ねればいいところや「いいです」と答えればすむ場面で「大丈夫」を使うと、相手に違和感を与えます。

【以心伝心】
昔 以心伝心
おかん……!!
ちゃんと食べなよ 母より
今 以心電信
ピロ
おかーん 金送ってー!! マモル。

【尾頭つき】
おっ 尾頭つきだね!
タカシちゃんの入社祝いよ〜
でも本当はこっちの尾頭つきのほうが好き♡
いらっしゃいませー

【大丈夫ですか】

お湯かげんは大丈夫ですか？
じゃー
しゃわしゃわしゃわ
ん……
しゃわ
強さは大丈夫ですか？
もみもみ
んあ…
もみ
チョキチョキ
チョキチョキ
チョキ
頭は大丈夫ですか？

コーヒーで大丈夫ですか？
ハイ
あっ
ガシャーン
コーヒーは大丈夫ですか!?
えっそっち？

ご利用いただけます

[質問]　宣伝の文書などによく使われている「ご利用いただけます」がどうも気になりますが、特に問題ないのでしょうか。

[答え]　「会員はこのサービスをご利用いただけます」は、文法的に誤った表現です。これは、次のような確認をするとわかります。

[謙譲表現を外して考えてみる]

「ご利用いただける」は、「利用してもらえる」の謙譲表現です。謙譲表現を外して、「会員はこのサービスを利用してもらえる」とすると、サービスを利用するのは会員ではなく、別の人であることになってしまいます。サービスを利用してもらえるのは、「我が社」であって、利用するのは「会員」です。「我

使うのはどっち？　16

「采配《さいはい》を｛振るう vs. 振る｝」、どっち？

「采配」は、昔、戦場で大将が兵を指揮するために用いた道具。厚紙を細長く切って作った房《ふさ》に柄《え》を付けたものだから、これを振って指揮をするのだから、「振る」が正解。「腕［刀・暴力］を振るう」などの言い方にひかれて「振るう」を使うのは誤り。

(北)

が社」を主語にして、「会員」を「に」で表した「(我が社は)会員にサービスをご利用いただけます」なら正しい言い方ですが、「会員」を主語にした「会員はサービスをご利用いただけます」は誤った言い方です。

[可能表現を外して考えてみる]

「ご利用いただける」は、「ご利用いただく」から作られた可能動詞です。可能表現には、大きく、A 行為者の能力や権利を表す用法と、B 対象の性能を表す用法とがあります。「太郎がこの本を読む」を例にしますと、もとの文の主語である「太郎」をそのまま主語にすると、「太郎はこの本を読める」というAの表現ができます。一方、読まれる「この本」のほうを主語にすると、「この本は太郎にも読める」というBの表現ができます。さらに、この二つが組み合わさって、C「太郎はこの本が読める」のような主語が二つある文も作ることができます。

　太郎が　この本を　読む

A　太郎は　この本を　読める

使うのはどっち？ 17

「振りの客」vs.「フリーの客」、どっち？

「振りの客」は、料理屋や旅館などで、紹介や予約なしにやってくる客の意。一見《いちげん》。「振り」は、ぶらっと訪れるという意味か。「フリーの客」は、この「振り」を「フリー」と誤解し、予約なしに自由に訪れる客の意味で使うようになったものとみられる。しかし、「フリーのカメラマン」など、特定の組織に所属せずに活動している人(=フリーランサー)をさす用法はあるが、「フリーの客」というのは誤りだ。(小)

B　この本は　太郎に　読める（かなあ）／太郎でも
　読める本

C　太郎は　この本が　読める

「会員はこのサービスをご利用いただけます」という文は、「会員」の権利を表すAと同じ形ですが、Aならば、「太郎はこの本を　読める」→「太郎はこの本を　読む」のようにしても同じ内容を示しますが、この文は、「会員はこのサービスをご利用いただけます」→「会員はこのサービスを　ご利用いただきます」のように、不自然になります。「我が社は会員にこのサービスをご利用いただける」という文ならば、「我が社は会員にこのサービスをご利用いただく」という文にもなる、Aの可能表現です。

　では、なぜ、「会員はサービスをご利用いただけます」のような文が生じるのでしょうか。この文の基本は、「会員がこのサービスを利用する」という内容です。これに、①そのことが可能であるということ、②会員が利用するのは会社としてもあ

使うのはどっち？ 18

「{苦渋 vs. 苦汁}を嘗《な》める」、どっち？

「苦渋」は苦しみ悩むこと。「苦汁」は苦い汁。またそれを飲まされたような苦しい経験。飲んだり嘗めたりすることができるのは汁だから、「苦汁を嘗める」が正解。「苦渋」は「苦渋に満ちた表情」「難渋苦渋する」のように使う。（北）

りがたく思っているということ、③会員への敬意、④会員を話題の中心に置くこと、などが加えられます。さらに、⑤強制や指示、恩着せがましさなど、精神的に強いるようなニュアンスは避けること、も加えたいところでしょう。

①は、可能表現で表します。②は、自分側に恩恵が来ることを表す「〜てくれる」や「〜てもらう」で表します（「〜てあげる」は相手側に恩恵がいくことを表すので、ここでは使えません）。「〜てもらう」は「〜てもらえる」のような可能表現ができますが、「〜てくれる」は可能表現ができません。③は、「ご利用くださる」や「ご利用いただく」などで表すことができます。

①②③をすべて満たすのは、「会員にこのサービスを利用していただける（ご利用いただける）」ですが、「我が社」が主語になるので④を満たしません。さらに、「我が社」がしゃしゃり出る形になりますので、⑤の点からも好ましくないのでしょう。また、「会員はこのサービスをご利用になれます」という言い方は、①③④を満たしますが、②が満たされません。「ご

使うのはどっち？ 19

「負けず嫌い」は「負け嫌い」の誤り？

負けることが嫌いなのだから、「負けず嫌い」はたしかに妙な言い方で、「負け嫌い」でいいはずのところだ。これが「食わず嫌い」の場合だと、食わないでいて嫌っているの意で、打ち消しの「ず」の意味が明確なので、「負けず嫌い」とは異なる。ただ、この「負けず嫌い」は、江戸時代から例があり、漱石なども使っている。否定の意味を強調する気持ちで「ず」が挿入され、慣用表現となったのだろう。（小）

利用になれます」と決めつけてしまうのも⑤の観点から好ましくありません。

「会員はこのサービスをご利用いただけます」という言い方は、表面的に「太郎はこの本を読める」という可能のAの形の文と重なり、形の上での抵抗が少ないこと、表現上の①〜⑤をすべて満たすことなどから、頻繁に用いられるようになったのだと考えられます。

（矢澤真人）

ポイント

●利用者である「会員」を主語にした「会員はこのサービスをご利用いただけます」は文法的には誤った表現ですが、会員は利用可能であること、会員の利用は自分たちにとって恩恵であること、会員に敬意を表すこと、自分たちではなく会員のほうを話題の中心に置くこと、強制や恩着せがましさを感じさせないこと、などの意図を満たす表現として多用されているものと思われます。

違和感を感じる

【質問】「違和感を感じる」という言い方に違和感を覚えます。誤用ではないでしょうか。

【答え】「違和感」の中にすでに「感」が入っているのだから、「感じる」というのでは重複表現になるのではないか、「覚える」と言うべきではないか、というご質問です。

「〜感」という語は、「安心感」「一体感」「危機感」「責任感」「不安感」「不快感」「劣等感」などたくさんありますが、「〜感を感じる」というのは重複表現になるから、「〜感を覚える」と言うべきだと考える人が多いようです。

確かに、「〜感を感じる」は重複表現です。「感じを感じる」というのでは、表現に工夫がありませんし、新しい内容（情

使うのはどっち？ 20

「親不孝」vs.「親不幸」、どっち？

「孝」は親を大切にしてよく仕えること。「幸」は運がよいこと。しあわせ。「不」はその反対の意。だから、「親不孝」は親を大切にしないことの意になるが、「親不幸」では意味をなさない。「親不孝」が正解。確かに子どもが「親不孝」であれば、親は不幸になるが、こんな漢字を書いているようでは「親孝行」はできない。（北）

報）が何も加わっていません。しかし、「違和感を感じる」となりますと、「〝違和の〟感じを感じる」ということで、「違和の」という新しい情報が追加されます。

「昔の武士の侍」「馬から落馬する」などを重言《じゅうげん》（同じ意味の語を重ねて使う言い方）と言いますが、重言がよくないのは、繰り返しであって新しい情報が加わらないからです。「昔の武士」と「侍」は同じものですし、「落馬」は「馬から」落ちることですから、「昔の武士」も「馬から」も余計な重複表現です。ところが、「昔の武士の〝強い〟侍」「〝暴れる〟馬から落馬した」などのように、「強い侍」「暴れる馬」などと新しい情報を加えると、かなり自然になります。

花が　開花する
賞を　受賞する
金を　借金する

なども重言で、新しい情報を何も加えない表現ですが、これらを、

使うのはどっち？ 21

「権力に{おもねて vs. おもねって}」、どっち？

「風潮におもねながら」という表現があったが、「おもねる（阿る）」は、ふつう「おもね**ら**ない・おもね**り**ます…」と五段に活用する語。この表現は「寝《ね》る」と同様に下一段に活用している。ほかにも、「権勢に**おもね**たりしない」「世に**おもね**た態度」など数例が見つかった。しかし、これら下一段の「おもねる」は誤用であろう。五段に直して「**おもねっ**たり」「**おもねっ**た」としたい。（鳥）

桜の花が　開花する
ノーベル賞を　受賞する
高額の金を　借金する

などとすると、自然な言い方になります。それは、単なる「花」「賞」「金」ではなく、「桜の花」「ノーベル賞」「高額の金」だからです。

以上のような論理を理解して、もう一度「違和感を感じる」について考えてみますと、単なる「感」を「感じる」というのであれば、全く意味のない、不自然な表現ですが、「〃違和〃感」を「感じる」というのですから、あまり不自然ではない言い方であるということになるでしょう。

ふと感じる違和感について考えてみたよ
堀江社長に感じる違和感て何だろな〜

のような、「感じる」が「違和感」にかかる連体用法になると、さらに自然度が増すようです。

「違和感を覚える」と言い換えたほうが重複感が少なくなり

使うのはどっち？ 22

「雨が降らない前に帰ろう」は、正しい言い方？

論理的に考えると、「雨が降らない前に帰ろう」はやや不自然で、「雨が降る前に帰ろう」という言い方にするか、「降らない」を使うなら、「雨が降らないうちに」という表現にするのがよいだろう。「火事で焼けない前」なども同様。ただし、こうした「〜ない前」という言い方はかなり広く使われていて、一概に誤用として退けるわけにはいかない。「転ばぬ先のつえ」などとも共通する。心理的には〈雨が降らないように〉という否定を強調したいますし、言い換えただけの表現効果がありますが、「覚える」も意味的には結局「感じる」ことであり、あまり違いはないように思われます。

もう一つ、「違和感を感じる」は重言だから、「感じる」を使うのであれば、「違和を感じる」ではないか、というご質問がありました。「~感」という語には二種類あって、「不安」「不快」などはそれ自体が「感じ」なので、「不安を感じる」「不快を感じる」と言えますし、そのほうが自然な言い方ですが、「違和」や「一体」「劣等」などはそれ自体は「感じ」でなく、「~感」が付いて初めて「感じ」の意味になる語ですから、「違和を感じる」「劣等を感じる」などは不自然になります。

（北原保雄）

ポイント

●「違和感を感じる」は、重言ですが、〈違和の〉という情報が加わっているので、それほど不自然ではない表現です。

気持ちから「~ない前」という表現がとられるのだろう。（小）

「○○感を感じる」

ハイ どうしました?
あのー
仕事の締め切りを締め切った
先週土曜日の日に……
妙に早起きで起きちゃったんですけど
すご〜〜く頭痛が痛くて
心臓に圧迫感も感じちゃったりして……
ドキドキ
ネタかぶり症候群ですね
どっ どーすれば!?
締め切りのばしてもらえば?
ハハハー
一コマめに戻る

【○○感を感じる】

夏!
パァァ…
YOUNG!
女性の薄着に季節感を感じるー
YOUNG!
問題は冬の厚着に何も感じないってとこだな
男ってそういうもんっスよ

【親不孝】

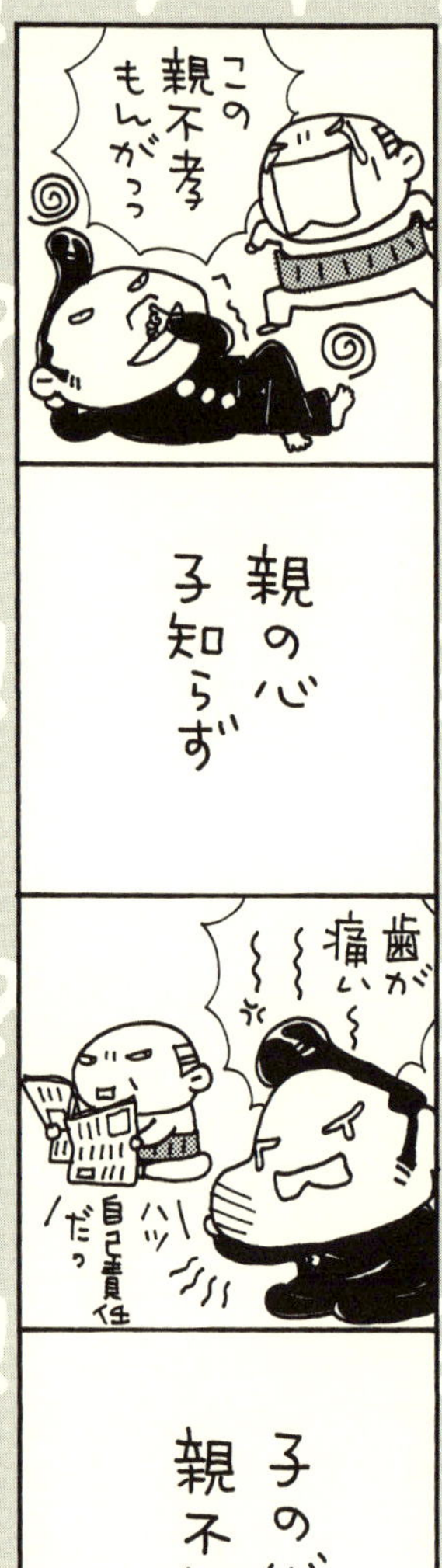
この親不孝もんがっっ
親の心子知らず
歯が痛い〜〜〜〜〜
ハッ
自己責任だっ
子の心親不知

お申し出ください

【質問】　テレビショッピングなどで、よく「商品番号をお申し出ください」と言っているのが気になります。客に対して「申し出る」を使うのは失礼なのではないでしょうか。

【答え】　こうした使い方には疑問を感じる方が多いようです。「お～ください」は尊敬の表現ですから問題はありません。問題は「申し出」のほうですが、「申す」はもともと謙譲語で、話し手がへりくだって言う言い方のはずだというご指摘です。たしかにそのとおりだと思いますが、ただ、「申す」の敬語のはたらきには、ちょっと厄介なところがあります。まず、「申す」が他の動詞の上に来る「申し～」の例を調べてみましょう。

現在「申し～」の形でよく使われている語を集めてみると、

使うのはどっち？ 23

「時をえて」vs.「時をへて」は、同じ意味？

「時をえる（得る）」は、よい機会、幸運に恵まれる意。『増鏡《ますかがみ》』などに例があり、古くから使われている。「時をへる（経る）」は、時間が経過する、時がたつの意味で、こちらは明治時代にはいってから使われるようになったようである。「日数を経る」「時代を経る」などの類推か。意味が異なり、両者は別のもの。（小）

大きく二つの用法に分かれます。その一つは、はっきりと「謙譲語」と言えるもの。たとえば「申し上げる」の場合は「言う」の謙譲語です。これは、自分側がへりくだり、〈言う〉動作の及ぶ相手に敬意を表すもの、ということになります。これをAの類と呼ぶことにしましょう。このAの類にはいるものとしては、ほかに次のような語があります。

申し受ける　(例) 送料は実費を申し受けます
申し遅れる　(例) 申し遅れましたが、私は…
申し兼ねる　(例) はなはだ申し兼ねますが…
申し添える　(例) 念のため一言申し添えます
申し伝える　(例) 係の者に申し伝えておきます

これに対して、次のようにやや別の用法のものもあります。

申し入れる　(例) 相手［審判］に抗議を申し入れる
申し込む　(例) 練習試合［結婚］を申し込む・申込書
申し立てる　(例) 異議［破産］を申し立てる
申し付ける　(例) 出向［自宅待機］を申し付ける・なん

使うのはどっち？ 24

「留守を預かる」vs.「留守を守る」は、どう違う？

「預かる」は、「教わる」「授かる」「たまわる」などと同様に、だれかから何かを受ける意を表す。そこで「留守を預かる」と言えば、だれかに留守番を任される意となる。それに対して「留守を守る」は、主体的に留守番を行う意。使用人ならどちらの場合もあり得るが、家の主人であれば「留守を守る」と言うべきで、「留守を預かる」ではおかしい。

(砂)

なりとお申し付けください
申し渡す　（例）謹慎［退去・判決］を申し渡す

　これらをBの類と呼ぶことにしましょう。このBの類の場合、「申し入れる」「申し込む」「申し立てる」などは、話し手・動作をする側が必ずしもへりくだっているわけではなく、相手と対等な立場で使っていることが多いと言えるでしょう。また、「申し付ける」や「申し渡す」の場合は、むしろ上の者が下の者に命令や通達を出すのですから、敬意の方向は逆になります。つまり、「申す」そのものは改まった気持ちを表す丁寧語（丁重語とも）となっているのです。「お申し越しの件、承りました」のように使う「申し越し」も、すでに丁寧語化しており、「お」の付いた形全体では、すでに尊敬語になったものとも言えるでしょう。こうした用法では「申す」の謙譲語としての性格はまったくといっていいほど消えてしまっています。「申し～」の敬語の用法は、このようにさまざまなため、そのあとに来る動詞との関係でとらえていかなければなりません。

使うのはどっち？ 25

「金（かねvs.きん）の草鞋《わらじ》で尋ねる」、どっち？

「金の草鞋で尋ねる」とは、すり切れることのない鉄製のわらじをはいて捜す意から、根気よく捜し回る意。「金の草鞋で捜す」とも。ここでいう「金」は、しばしば「きん」と誤読されるが、鉄製の意であるから、「かね」と読むのが正しい。（鳥）

当面の問題である「申し出る」については、『明鏡国語辞典』では、「公の機関や目上の人などにみずから自分の意見や希望を言って出る」としています。Ａの類にはいるでしょうが、ややＢに近いところもあるというところでしょうか。「申し伝える」などに比べると謙譲語としての性格はやや弱く、そのため、「お申し出ください」のような使い方も出てくるのでしょう。したがって、この「お申し出ください」は、明らかな間違いとまでは言えないと思います。ただし、この使い方は敬語の本来の性格から言えば問題のあるところですから、「お申し付けください」あるいは「お知らせください」のような言い方のほうが望ましいことは確かでしょう。

（小林賢次）

ポイント

「お申し出ください」は全体で尊敬語として使われており、明らかな間違いとまでは言えません。ただ、「申し出る」そのものには謙譲語の性格が残っているため、客に対しては「お申し付けください」「お知らせください」などの言い方をするほうが望ましいでしょう。

ありえない

【質問】　最近、「『これからテストをします』『うっそー、ありえなーい！』」などと、生徒から「ありえない」という言葉がやたらに返ってきます。「なんで今ごろ停電かよう、ありえねえ！」など、ありえていることについて、ありえないと言っている人もいます。おかしくないでしょうか。

【答え】　「五夜連続の、ありえない企画をお楽しみください」なども、最近よく耳にします。ご指摘のように、〈ありえている〉ことについて、ありえないと言っているところが気になりますが、問題は一筋縄ではいかないようです。まずは、「ありえない」のおもな意味用法を辞書風にまとめて、問題の「ありえない」がどのように位置づけられるかを確認してみましょう。

使うのはどっち？　26

「｛大きい vs. 大きな｝お世話」、どっち？

「｛大きい・大きな｝部屋」「｛大きい・大きな｝問題」など、体言を修飾する場合には、一般に「大きな」のほうが使われる傾向が強い。「｛大きい・大きな｝お世話」でも、圧倒的に「大きな」が優勢。「大きなお世話」は慣用表現として定着していて、「大きいお世話」は誤用とみなされるだろう。なお、「体の｛大きい・大きな｝人」のように主語を伴う場合は、「大きい」のほうが使われる。

（矢）

①存在する可能性がない。存在できない。「角の生えたウサギなぞ、この世には**ありえない**」
②成立する可能性がない。起こりえない。「解散は**ありえない**」「真夜中に一人で外出するなど**ありえない**」
③《言説・発話・情報などについて》それが事実として容認しがたい／したくないという、話し手の判断を表す。常識／理性では考えられない。信じられない。ナンセンスだ。「死後の世界なんて、**ありえない**」「記憶にないだと？ そんなばかな話は**ありえない**」
④《既定の物事について》常識的にはありうべからざること／許しがたいことだとして、その不条理性に強く反発する。あってはいけない。あるはずがない。「このまずい味はなんだ、**ありえない！**」「なんで今ごろ停電かよう、**ありえねえ！**」「〔テレビ中継を見て〕あそこで、シュートを外すなんて、**ありえない！**」◇若者が好んで使う。
⑤《多く連体詞的に》(ア) その存在や成立が疑われるほどに、

使うのはどっち？ 27

「いちじるしい」VS.「いちぢるしい」、正しい仮名遣いはどっち？

「いちじるしい」が正解。「*現代仮名遣い」によれば、「ぢ」「づ」と書くのは、①*同音の連呼によって生じた「ぢ」「づ」、②*二語の連合によって生じた「ぢ」「づ」の場合である。①には「ちぢみ」などが、②には「はなぢ」などがある。「いちじるしい」は、「いちしるし→いちじるしい」と転じたもの。現代仮名遣いでは、もともと「じ」と書いたものを、「ぢ」と書くことはない。「いちじく」の場合も同様で、「いちぢく」とは書か

価値や評価が劣る意。「**ありえない**判決［論文］」◇若者言葉的。対象に対して強い非難の気持ちがこもる。

(イ) その存在や成立が疑われるほどに、価値や評価がすぐれている意。「**ありえない**献立［ブログ］」「ありえない家（＝考えられる限りの工夫を凝らした狭小住宅）」◇若者言葉。対象に対して強い同意・称賛の気持ちがこもる。

問題になるのは、③〜⑤の場合でしょう。ご質問の「『これからテストをします』『うっそー、ありえなーい！』」は、言説・発話・情報などについていう③に位置づけられます。「うっそー」は若者の口頭語で、この場合は〈うそと言いたくなるほどに、意外だ〉くらいの意味。

④は、近年盛んになった言い方で、若者専用だと考えられています。ありえている物事について、ありえないという、その論理の矛盾が、年長者には気になる言い方になっていますが、若者はそれを承知の上で、論理矛盾の表現を楽しんでいるようにもみえます。「その煮え切らない態度、断じてありえないない。（鳥）

＊「現代仮名遣い」＝一般の社会生活において、現代の国語を書き表すための仮名遣いのよりどころとして定められたもの。昭和六一年内閣告示。

＊同音の連呼＝「ちぢみ（縮）」「つづみ（鼓）」など、同じ音の連呼によって生じた「ぢ」「づ」は、「じ」「ず」ではなく、「ぢ」「づ」と書くという「現代仮名遣い」の取り決め。

＊二語の連合＝「はなぢ（鼻＋血）」など、二語の連合によって生じた「ぢ」「づ」は、「じ」「ず」ではなく、「ぢ」「づ」と書くという「現代

よ！」「イチローが三割を割ったって、ありえねえよう！」などは、許容度が高いのではないでしょうか。大災害の状況をテレビで見て、「何ということだ！　ありえない！」と言う場合は、年長者にしても、いつなんどき飛び出すかも分からない表現ではないでしょうか。若者専用では、ありえないようです。

ありえているものについて、ありえないということは、論理の矛盾を力強く提示することによって、受け入れがたい現状を断固として否定する、レトリカル（修辞的）な表現法だと考えることができます。これらは、「ありえないような事態だ！」や「ありえないほどの事態だ！」のように言いかえることもできますから、強調の比喩表現とみなすことができそうです。

そう、ひと思いに言ってしまえば、まさにこれは、ひと昔前にはやった「ノンセンス！」「信じられない！」などと同じ気分で使われている、容認しがたい現状に対する反論の強調表現だったのです。より万人向きの言い方をすれば「まさか？　嘘でしょ？」「嘘つけ！」「とんでもない！」「冗談じゃないよ！」

「ありうべからざる」などとなります。こういう語を知らない若者が増えていることも、「ありえない」をはやらせている原因の一つだと思われます。

⑤(ア)の「ありえない判決」「ありえない論文」はどうでしょう。この両者に関する限り、発話の裏にある比喩の心は読み取りやすくなっていますので、通常は〈ありえないほどのひどい判決〉〈ありえないほどのトンデモ論文〉などと、発話者の意図どおりに理解されるのではないかと思われます。

「問題な日本語」は、なんといっても⑤(イ)です。冒頭の、「五夜連続の、ありえない企画をお楽しみください」がここに位置づけられます。これも、「二度と」を補って、「二度とありえない企画…」と言えば問題はないわけですが、そうはならないところがミソです。「これは、何も考えずに笑って楽しめる、ありえねー映画だ！」に至っては、初めて聞く人にはちんぷんかんぷんでしょう（が、一旦、この語の意味用法を会得してみると、簡潔直截《ちょくせつ》な言い方として魅力があるのでしょう、ね）。

使うのはどっち？ 28

「こぢんまり」vs.「こじんまり」、どっち？

語源説によって、「ぢ」派と「じ」派とに分かれる。前者は、「小《こ》」＋「ちんまり」からなるとするもので、「現代仮名遣い」の二語の連合を適用して、「こぢんまり」と書く。こちらが多数派で、一般的な仮名遣い。一方、後者は「小締《こし》まり」の転とし、それを根拠に「じ」と書くというもので、少数派。（鳥）

しかもこの言い方は、⑤(ア)とともに、評価がプラス・マイナスの両極端に振れる可能性を残し、意味が紛れやすくなるという欠点があります。今、(ア)の「ありえない判決」における「ありえない」は、愚劣な、最悪のなどの意ですが、これがいつなんどき、成立が疑われるほどの、すばらしい判決の意に転じるか保証の限りではないところに問題があるようです。(イ)の用例「ありえない家」も、文脈によっては、存在が疑われるほどの、あってはならない家の意に解される可能性なしとはしません。

(鳥飼浩二)

ポイント

〈ありえている〉ことについて、ありえないというのは、論理矛盾ですが、受け入れがたい現状を断固として否定する、レトリカル（修辞的）な表現法だと考えられます。「ありえない映画」などと、「ありえない」を最上級の賛辞として使うと、真意が伝わらない場合がありますので、要注意です。

【ありえない】

もしも神様が今どきの若者だったら
戦争?
ハッ
ありえなーい
腰パン?
ありえなーい
ブラ見せ?
ありえなーーい
温暖化?
ありえなーーい
ありえなーーい
世の中全部
ありえないったら
ありえなーーい
あっ
こうして地上からすべてのものが失くなった
ガラーン
テストやるぞーー
抜きうち!? ありえなーーい
え〜〜..
信長は比叡山延暦寺を……
焼きうち!? ありえなーーい!!
ゴクアク
その頃天国では
ホントにあったことなのにィ
浮かばれないよなーー
信長
おまえが言うな

微妙

［質問］　なんでも「微妙」「普通」の一言ですませている人がいますが、その意味がわかりません。いったい何を言いたいのでしょうか。

［答え］

「これ、おいしい？」「うーん、微妙。」

「あの映画おもしろかった？」「普通。」

若い人に感想を求めると、「微妙」や「普通」という一言だけが返ってくることがあります。ぶっきらぼうですし、何と何との差が「微妙」なのか、どのくらいを「普通」と言っているのか、聞き返したくなる人もいるのではないでしょうか。「普通」については次項で取りあげることとし、まずは「微妙」に

使うのはどっち？ 29

「チジミ」vs.「チヂミ」、どっち？

ここでいう「チジミ」「チヂミ」は、お好み焼きに似た韓国料理のことである。ネットでは「チジミ」「チヂミ」、二つの表記が行われているが、「外来語の表記」*には、「ヂ」「ヅ」は掲げられていない。したがって、「チジミ」が正しいということになる。「チヂミ」は、「現代仮名遣い」の〈同音の連呼〉を、誤って外来語に適用したものである。（鳥）

＊「外来語の表記」＝一般の社会生活において、現代の国語を書き

ついて考えてみましょう。

「微妙」には、「彼は我が方につくのか？」に対する、「微妙です」という答えのように、差が小さくて判断するのが難しいという意味があります。若い人の使う「微妙」も、この用法の一種です。しかし、従来の「微妙」は、判断が困難なことを表すだけなのに、若い人たちの「微妙」は、判断は難しいが、少なくとも自分はおいしくないほうに組み入れたということを表す点で異なります。「これ、おいしい？」に対する「微妙」という答えは、あまりおいしくない、とか、少なくとも自分はおいしいとは判断しないという、否定的な評価を表します。

「微妙」が否定的な評価も表すことは、これまでもありました。「うちの子供はこの高校、どうでしょうか」と聞いて、担任の先生に「うーん、微妙ですね」と答えられたら、言葉通り、ボーダーラインだと解釈するのではなく、むしろ「難しいのでは」と解釈するのではないでしょうか。これは、ボーダー以下のものも、ボーダーラインのように言う表現で、相手に配慮し

表すための外来語の表記のよりどころとして定められたもの。平成三年内閣告示。

て否定的な評価を伝えています。若い人の使う「微妙」は、この否定的評価の用法に由来すると考えられます。ただ、否定的評価に固定されていて、しかも相手に配慮した場面以外で用いられることが多いので、不自然に感じられるのでしょう。

このような「微妙」の用法には、答えをはっきり示すことを避ける、自分の本心を伝える前に相手の様子をうかがう、という文化的背景もあるかもしれません。もともと、差が小さいことを表す言葉は、しばしば、控えめな否定的評価を表すようになります。そう考えると、「微妙」は、「いや、ちょっとね」の「ちょっと」や、「もう一つ」「いまいち」などに重なる表現だと言えるでしょう。

（矢澤真人）

ポイント

「微妙」は、〈判断は難しいが、少なくとも自分は肯定的な評価はしない〉という、否定的な評価をストレートに言わない表現として使われているようです。

普通においしい

【質問】　若者が「普通においしい」などと言いますが、「普通に」の意味がわかりません。どういう意味なのでしょうか。

【答え】　若い人の間で、「普通においしい」のように「普通に」が副詞として使われています。高校の先生方からも、「普通に疲れた」「普通に頭にきたんだけど」「普通に驚いた」「普通に感動した」などの事例が寄せられました。前項のご質問の、「普通」の一言ですませる用法と合わせて、考えてみましょう。
「普通」という評価については、「これ、おいしい？」に対して、「普通」と答えた場合と、「普通においしい」と答えた場合とでは、違いがあるようです。
ただ「普通」と答えた場合は、「まずくはない」「並」という

使うのはどっち？ 30

「{おうい・おおい・おーい・オーイ}助けてくれ！」、書くならどれ？

現代仮名遣いでは、オ列の長音には、オ列の仮名に「う」を添えることになっているので、「おうい」が一般的な表記である。これらの感動詞は、実際には、発音にしたがって書かれることも多く、「おうい」のほか、「おおい」「おーい」「オーイ」などもしばしば使われる。ほかにも、遊び心に満ちた「オ〜イ」「お〜い」などもあるが、標準からはずれる。（鳥）

消極的な肯定的な判断を表します。年配の人も使う「まあ、ね」といった評価に近いと言えそうです。

友達関係を表す場合などでは積極的には関与しない間柄を表す場合もあるようです。「なあ、俺のこと好きか」に対して「普通」と答えられたら、どうでしょう。ある年代以上の人は、「俺は単なる友達なんだ」とがっかりする一方で、安心もするでしょうが、そんな答えをされたら、若い人はひどく落ち込みます。あなたに関心がない、好きと嫌いのスケールにも載せられない、という積極的な不関与を宣言されたことになるからです。

クラスメートの中で、仲良しの子には「仲が良い」、気の合わない子は「仲が悪い」と言えますが、よく知らない子について、先生や親から、「あの子と仲が良いの?」と聞かれたら、なんと答えればよいでしょうか。素直に「知らない」と答えると、「クラスメートなのに知らないの?」と言われてしまいます。そこで、クラスメートとしての付き合いくらいはするとこ

使うのはどっち? 31

「{ち、ち、ちょっとvs.ちょ、ちょ、ちょっと}待て」、どっち?

最近「ちょ、ちょ、ちょっと待て」「ひゃ、ひゃ、百万円もするのか」と書くべきところを「ち、ち、ちょっと待て」「ひ、ひ、百万円もするのか」などと書く若い作家が多い(平成一七年度上半期芥川賞にもあった)。しかし、この、あわてて言ったセリフの部分は、一音節(一拍)を単位として書き表すのが日本語の正当な表記法だ。促音「っ」は一拍だから、その場合は「き、き、きっと来ます」となる。要領は俳句の五七

ろから、「普通」という答えが出てきます。そのために、友達関係を期待している場合に、「よく知らない」とか「他人並み」を表す「普通」という答えが返ると、ひどいショックを受けることになるのです。

もう一方の「普通に」のほうですが、「普通においしいよ」は、標準的なおいしさだ、世間並みのおいしいという範囲に入る、という意味のほかに、「お世辞ではなく、おいしい」という積極的な賞賛を表すのにも使われるようです。この場合の「普通に」は「おいしさ」の程度ではなく、お世辞抜きの、素《す》の判断であることを表します。「正直なところ」や「率直なところ」と重なる用法で、「マジ」にもこの用法があります。

お昼に会う約束をしたのに来ないので、連絡をとったところ、「ごめん、普通に寝てた」と謝られた場合、つい、この人は昼間寝る習慣があるのかとか、どんな寝方に対して普通の寝方を言っているのだろうと考え、そんなことは言い訳にも謝罪にもならないと考えてしまいます。しかし、「普通に寝てた」は、

五の数え方と同じ。（鳥）

寝ていたことを言い訳しないで、素直に謝るときに使われます。自分の寝ていた行動は特に作為的なものではない、これから述べる内容は言い訳ではなく素直に現状を示したものだ、といったことを表します。「普通に」は、「わざと」や「わざとらしい」の反対の状態を表し、やはり若い人が使う「素で」とかなり意味が重なるようです。

「普通」のほうは、若い人の間で、ある程度安定して用いられているようですが、「普通に」のほうは、かなりゆれが見られるようです。「これ、普通においしいよ」が「まあまあ」なのか「素で（お世辞抜きに）うまい」なのかは、若い人でも、場面で判断しなくてはならないようです。（矢澤真人）

ポイント！

●若い人たちは、「普通」を〈自分はそれに積極的に関わらない〉というニュアンスで使ったり、「普通に」を〈お世辞抜きで〉〈素《す》で〉〈正直なところ〉という意味で使ったりしています。これらは、本来の使い方からは、ずいぶんかけ離れたものです。

歌わせていただきます

【質問】　「歌わせていただきます」という言い方は、文法的に間違いではないでしょうか。

【答え】　結論を先に言えば、この言い方は文法的には間違いです。かなり一般化していて、「さ入れ言葉」などと呼ばれているものですが、「さ」が余計なのです。

「させていただきます」の「させ」は使役の助動詞ですが、使役の助動詞には「せる」と「させる」の二つがあって、付く動詞に違いがあるのです。つまり、「せる」は「歌う」「踊る」「歩く」「読む」「作る」などの動詞に付き、「させる」は「見る」「閉じる」「助ける」「捨てる」「来る」などの動詞に付きます。

使うのはどっち？ 32

「難しい（むずかしい・むつかしい）」、正しいのはどれ？

「難しい」には、「ムズカシイ」と「ムツカシイ」、二様の言い方がある。前者が一般的だが、後者も健在だ。現代仮名遣いは、現代語の音韻に従って書き表すものだから、ムズカシイと発音するものは「むずかしい」と、ムツカシイと発音するものは「むつかしい」と書けばいい。「むづかしい」は誤り。（島）

文法的に言うと、「せる」は五段・サ変の動詞の未然形に付き、「させる」は上一段・下一段・カ変の動詞の未然形に付くということですが、要するに、未然形（「ない」を付けたときの形）の語尾が、「うたワ（ない）」「おどラ」「あるカ」「よマ」「つくラ」などのようにア段の音の動詞には「せる」が付き、「ミ（ない）」「とジ」「たすケ」「すテ」「コ」などのようにア段以外の音の動詞には「させる」が付くという分担です。

ただ、サ変動詞の場合には、「発展さ-せる」のように未然形「〜さ」に「せる」が付くのが一般的ではありますが、「熱し-させる」「信じ-させる」「達せ-させる」などのように「させる」が付くこともあり、やや複雑です（これについては『明鏡国語辞典』の「せる」に詳しく述べてありますので、省略します）。

そういうことで、「歌わせていただきます」「作らせていただきます」というのが正しく、「歌わさせていただきます」「作らさせていただきます」のように「さ」を入れるのは間違いです。

どうしてこういう言い方がされるようになったのか、その経

使うのはどっち？ 33

「手懐ける（てなずけるvs.てなづける）」、どっち？

正しい仮名遣いは、「てなずける」。ただし、「てなづける」のほうが、適切ではないかとする意見もある。*常用漢字表「懐」の訓には、「なつける」があるが、「てなづける」は、「手」＋「なつける」が、「な」を飛び越えて、「つ」で濁った形と考えることができるというわけだ（これは、「手」＋「伝う」が、「てづたう」とならずに、「てつだう」となるのと同じ）。二語の連合を適用して「てなづける」の表記を得るというの

緯については想像の域を出ませんが、おそらく「歌わせていただきます」のように「せて」だけでは使役の意味が強く出ないので、その気持ちをもっと強く明確に出したいというところから、「歌わ-させて」と「させて」を使うようになったものと思われます。

「歌う」のは自分ですが、「歌わせる」のは相手です。相手にさせてもらって、つまり相手の許容の中で歌う、という気持ちを込めるのですから、その気持ちを強く出そうとして、「さ」を補強し「させる」にするのだと考えられます。うっかり使い慣らされているうちに、「さ入れ」でないとしっかりしないような語感になってしまうかもしれません。（北原保雄）

ポイント
●「歌わさせていただきます」は間違いで、「歌わせていただきます」が正しい言い方です。「歌う」「作る」などの五段動詞（「ない」を付けたときの語尾がア段の音である動詞）の場合、「～させていただきます」ではなく、「～せていただきます」が正しい言い方です。

が、こちらの説の考えだ。（鳥）

＊常用漢字表＝一般の社会生活において、現代の国語を書き表す場合の漢字使用の目安として定められたもの。昭和五六年内閣告示。

【○○させていただきます】

スクッ
では!
私めが一曲歌わさせていただきます♡
いえいえいえいえいえいえ
ここは私が歌わさせさせていただきます!
いえいえここは私が歌わせさせさせ
とんでもないここはひとつ私めが歌わせさせさせさせさせさせさせさ
じゃっ
私が歌います!
…日本語も空気も読めない

①
私
この本にまんがを描いてます
ヨロシク
②
私
この本にまんがを描いてやってます
ヨロシク
③
私
この本にまんがを描かせていただいてます
ヨロシク
やっぱ③はおかしいですよねー
アハハー
えーと…
なんか②もひっかかるんですけど…

おタバコはご遠慮させていただきます

［質問］　この頃、「～させていただきます」が濫用されているようで、気になります。「おタバコはご遠慮させていただきます」など、使いすぎではないでしょうか。

［答え］　「～させていただきます」が濫用されているのではないかという声はたくさん寄せられています。「挨拶に代えさせていただきます」「説明させていただきます」「出席させていただきます」などは、「挨拶に代えます」「説明します」「出席いたします」で良いではないか、勝手にこっちの許可を取るな、というような意見です。確かにその通りで、最近「～させていただきます」は、本来の使用範囲を超えて多用されすぎているようです。

使うのはどっち？　34

「{痛み vs. 痛さ}をこらえる」、どっち？

「痛みがじわじわと広がる」とは言うが、「痛さが広がる」とはあまり言わない。反対に、「彼のマッサージは、痛さが売り物だ」は言うが、「痛みが売り物」では、単に痛いと感じるだけのマッサージで、客は来ないだろう。「痛み」は動的な感覚、「痛さ」は痛いと感じる程度を表す。「この{痛さ・痛み}をこらえる」のような、一般的な痛感を表す場合は、どちらかというと「痛み」のほうが一般的。（矢）

「〜させていただく」は、「説明させていただく」に例を取りますと、説明するのは自分ですが、相手に説明させてもらうのだというとらえ方をし、その上に、「もらう」の部分を「いただく」と謙譲表現にした言い方で、二重に敬意を表す形になっています。相手に、「説明してご覧」と言われて、「それでは、説明させていただきます」と言って説明を始めるような場合でしたら、相手の許可を得てそうさせてもらうのですから、全く正当な言い方です。「出席させていただきます」なども、相手が自分を出席させてくれるのだと見なすべき関係にあるような場合であれば、妥当な言い方になります。

しかし、許可を得なければならない相手がいないような場合に、「〜させていただきます」という言い方をすると、相手には、こちらが依頼したこともないのに、慇懃《いんぎん》すぎてかえって無礼だと聞こえることになります。テレビで、司会者が「司会を務めさせていただきます」と挨拶、そして登場したタレントが「俳優をさせていただいています誰々です」と自己紹介して、

使うのはどっち？ 35

「〈厚みvs.厚さ〉がある」は、どう違う？

「この本の厚さは何センチ？」では、「厚みは何センチ？」とは言わない。「厚さ」は客観的な幅を表すのに用いられ、「厚み」は、厚いことを前提にした上で、「厚い」と感じる度合いや、そう感じさせる幅を表す。よって、「この本はかなりの厚さがある」は客観的に幅が大きいことを、「この本はかなりの厚みがある」では、主観的に「厚い」と感じさせる度合いが大きいことを表す。（矢）

「歌を歌わせていただきます」と続けたりしますが、これなど、「司会を務めます」「俳優をしております（＝俳優の）誰々です」「歌を歌います」で適切かつ十分なのです。

「休業させていただきます」は丁寧なようで、けっこう強引だと思いますという意見もありました。また、いったい誰が「休業させよう」としたのでしょうか、休みたければ、休めばいいんです、という意見も寄せられています。もっともな意見です。敢えて言えば、お客様に休業させてもらうという気持ちなのでしょうが、誰に対して言っているのか相手が漠然としていて特定されないような場合には、自分はそんなものさせようとした覚えはないと感じられる言い方になってしまいます。

それと、これは大切なことですが、「～いただく」は自分が相手から（勝手に）してもらうことをいう言い方なのです。「～てもらう」「～ていただく」は、相手のことは考えずに自分の都合でそうするという含みを持つ言い方です。松下大三郎博士は「自《じ》行《こう》自《じ》利《り》態」と呼び、「他人の動作を受けて自己の動作

使うのはどっち？ 36

「{重い vs. 重たい}カバン」は、どう違う？

「重いカバン」は、カバンの重さが大きいことを表し、「重たいカバン」は、カバンの重量感が大きいことを表す。カバンの「重さ」は客観的な重量でも示せるが、カバンの「重たさ」は重量では示せず、「持ってみなければわからない」とか「二度と持ちたくなくなるほどだ」といった主観的な表現になる。（矢）

とし、其《そ》の受けることが自己の利益であることを表すのである」と説明しています。「休業させて」と相手の許可を得るような言い方をしながら、一方的に「〜ていただきます」と押しつけるところが、強引だと感じられるのです。「休業させてください」の方が相手にお願いする気持ちが素直に出ますが、それは、「〜てくださる」が松下博士のいう「他行自利《たこうじり》態」で、相手が自分のためにそうしてくれるということであり、その命令形「〜てください」は相手にお願いすることになるからです。

「帰らせていただきます」と「帰らせてください」を比べてみましょう。「帰らせていただきます」は漠然とした相手には丁寧に言っているように聞こえる場合がありますが、上司に対して言った場合には、自分の都合を一方的に言っているだけで、お願いしていることになりません。お願いは「帰らせてください」と言うべきです。

さて、ここで表題の「おタバコはご遠慮させていただきます」について考えてみましょう。「遠慮する」はことわる、や

使うのはどっち？ 37

「いず」vs.「いづ」、どっち？

「出《い》づ」は、出る意の文語動詞。*歴史的仮名遣いでは「いづ」。現代仮名遣いでは、「出《い》ず」と書いて、「日《ひ》出ずる国」などと使うことになる。したがって、現代の表記としては「いず」が正しい。この「出《い》ず」は、「山中より財宝出《い》ず」などの文脈では、「山中より財宝出《で》ず」「山中より財宝出《いで》ず」と、否定の意味に誤読されかねないので、注意が必要。（鳥）

*歴史的仮名遣い＝平安時代中期以前の文献を基準として定めら

めるなどの婉曲《えんきょく》な言い方で、「遠慮させていただきます」は、「私は、今回は、出席を遠慮させていただきます」のように、自分が遠慮する場合について使うのが普通です。表題の言葉も、タバコを吸う人が自分で「遠慮させていただきます」と言うのなら問題はありません。しかし、これは、駅の電光掲示板に流されていたものだそうで、相手に遠慮することを求めています。ですから、「客がタバコを遠慮する（＝吸わない）ことを（駅側が客に）させてもらう」という、誠に無礼な意味になります。これでは、いくら「おタバコ」「ご遠慮」「させていただきます」と敬語を繰り返し使っても、お願いをすることにはなりません。「カードでのお支払いはご遠慮させていただいております」のような表現もよく見かけますが、最後に「おります」を足しても、基本的には同じことです。お願いを表す「〜ください」を使って、「おタバコはご遠慮ください」、あるいは「喫煙はお断りしております。ご了承［ご理解］ください」などと言えば、全く問題のないところです。このように、「〜ください」

れた仮名遣い。

と言う方がよいところに、「〜いただきます」が使われていることがよくありますが、「いただきます」の使い方には注意が必要です。

（北原保雄）

ポイント！

「〜させていただきます」は、相手の許可を得てそうさせてもらう場面（『説明してご覧』『それでは、説明させていただきます』）や、相手の意向によってそうさせてもらうと見なせる関係の場合（「（先生のご厚意によって）出席させていただきます」）に使うのが適切です。許可を得なければならない相手がいない、またそのような相手が漠然としていて特定されない場合に使うと、慇懃《いんぎん》無礼な表現となります。

相手にあることをしないよう求めるときに「〜は（を）ご遠慮させていただきます」と言うと、それは、〈相手が〜しないことを、自分が相手にさせてもらう〉と言っていることになり、無礼な言い方です。このようなときには、「〜は（を）ご遠慮ください」などと、「ください」を使って相手にお願いをする言い方が適切です。

【○○させていただきます】

ぷっかー。
お客さま…
あ?
いただきます
サッ
おタバコはご遠慮させていただきます
遠慮することあらへんがな兄ちゃんも吸えや
あっ
ぷかかー。
キリッ
お客さま…
あ?
ピッ
おタバコはご遠慮ください
なんや遠慮すんのワシかいな!
ワシ遠慮はキライやがな
ああっ

役立たせていただきます

【質問】「お客様のご提案は今後のサービスに役立たせていただきます」などの表現を企業のホームページで見かけますが、「役立たせていただきます」は適切な表現なのでしょうか。

【答え】　これは、拡大すると、「(さ)せていただきます」はどんな動詞にも付けてよいのかという問題になります。まず、「(さ)せていただきます」は「役立つ」にも付くことができるのか、「役立てさせていただきます」という言い方とどう違うのか、ということについて考えます。

「いただく」は「もらう」の謙譲語ですから、これらはもともと「役立たせてもらう」「役立てさせてもらう」、つまり、「〈役立たせる〉+もらう」「〈役立てさせる〉+もらう」という表

使うのはどっち？ 38

「執着(しゅうじゃくvs.しゅうぢゃく)」、正しい現代仮名遣いはどっち？

「執着」は、一般には「シューチャク」と言うが、仏教では「シュージャク」。その場合、後項部分の仮名遣いが「じゃく」となるか「ぢゃく」となるかで、悩む人も多かろう。「融通」の場合は、本則の「ゆうずう」のほかに、「ゆうづう」も許容されるが、これは「つう」が連濁*を起こしたもの。「執着」の「じゃく」は、*呉音《ごおん》「じゃく」に基づくもので、連濁ではなく、もともと濁っていた

現です。〈役立たせる〉は、「役立つ」＋使役の「せる」、〈役立てさせる〉は、「役立てる」＋使役の「させる」ということです。この「役立たせる」「役立てさせる」という言い方に注目して見てみましょう。

「役立つ」は自動詞です。「企業や人が役立つ」というのであれば、これを使役の形にした「企業・人に役立たせる」という言い方はできます。たとえば、「今回はお役に立ちませんが、次回は必ず役立たせていただきます」という言い方は自然です。

しかし、ここは、企業が消費者から指摘や提案を受けて、「その提案が役立つ」と言っているわけです。「提案」のような〈もの〉が役立つという場合、「〈もの〉に役立たせる」（〈もの〉に役立つことをさせる）という使役形を作るのは無理があります。意志のない〈提案〉に自らが役立つことをさせるというのは、筋が通らないでしょう。したがってこういう言い方は間違いということになります。

これに対して、他動詞の「役立てる」は「企業がその提案を

もの。現代仮名遣いでは、漢字の音読みでもともと濁っている「じ」「ず」は、そのまま「じ」「ず」と書くとしているから、この場合は、「しゅうじゃく」が正解。（島）

＊連濁＝複合語などの、後項の語の頭の清音が濁音に変化する現象。

＊呉音＝古代日本に朝鮮半島を経由して渡来した、中国南方系の発音に基づくとされる漢字音。

役立てる」のであり、その使役形「役立てさせる」は「消費者が企業にその提案を役立てさせる」ということになります。そして、「役立てさせていただきます」全体は、

〔企業が　〔消費者が〈企業に《企業がその提案を役立てる》ことをさせ〉〕　ていただきます〕

という構造になり、これはきわめて自然な表現です。

ということで、結論は、「(企業がその提案を)役立たせていただきます」は適切な言い方ではなく、「役立てさせていただきます」が正しい言い方だということです。

説明がやや長くなりましたが、「役立つ」「役立てる」を「役に立つ」「役に立てる」に置き換えて考えてみると、もっと分かりやすいかもしれません。「私が役に立たせていただきます」「提案を役に立てさせていただきます」は言えますが、「提案を役に立たせていただきます」はおかしい言い方ではないでしょうか。

同じように似た言い方があって問題になるのは、「デさせて

使うのはどっち？ 39

「沈丁花(じんちょうげvs.ぢんちょうげ)」、正しい現代仮名遣いはどっち？

「じん」は、「沈」の呉音で、もともと濁っているもの。したがって、そのまま「じん」と書けばよく、「じんちょうげ」が正解。そもそも、現代仮名遣いで「ぢ」「づ」となるのは、二語の連合か同音の連呼に限られる。ということは、語頭からいきなり「ぢ」「づ」となることは原則としてない(「白菜漬け」などの「〜漬《づ》け」からきた、「(マグロの)づけ」などは例外)。したがって、「じん」のも

いただく」と「ダさせていただく」です。「デさせ」も「ダさせ」も漢字で書くと同じ「出させ」になってしまうのですが、「出る」は自動詞で、「出す」は他動詞です。テレビ番組などでタレントが「前にこの番組に出させていただいたときに」などとよく使っていますが、「デさせて」「ダさせて」のどちらが適切な言い方なのでしょうか。

「出る」のは私で、テレビ関係者（以下「相手」と呼ぶことにします）が私を番組に「デさせる」は適切な言い方です。「（私が）出演する」「（私を）出演させる」と同じ関係です。そして、「デさせていただく」も正しい言い方です。

「私が　｛相手が〈私に《私が出る》ことをさせ〉｝　ていただく」

という構造で、適切な言い方です。

一方、「出す」は、ここでは、「相手が私を番組に出す」ということを言っているのですから、これを使役形にした「ダさせる」は「相手が誰かに私を出すようにさせる」という意味にな

ともとの音が濁っているかいないか、わからなくても、「じんちょうげ」は「ぢんちょうげ」でないことがわかるだろう。（鳥）

ります。これでは、私がさせられるのではなく、誰かがさせられることになって、「させていただく」のが自分ではなくなります。ここは、「させる」を入れない「この番組に出していただいた」で十分かつ適切なのです。自分の力で出たのではなく、相手が出した、相手に出してもらったという言い方であり、これで「デさせていただいた」と同じ表現になるわけです。

これがもし、私が番組に出るのではなく、私が番組に〈もの〉を「出す（＝出品する）」のような場合ですと、「ダさせていただく」は適切な言い方になります。「相手が私に〈もの〉をダさせる」「私が相手に〈もの〉をダさせていただく」は自然な言い方です。

（北原保雄）

ポイント

●「提案」などの〈もの〉が「役立つ」場合、これを「〈もの〉に役立たせる」という使役形にはできません。したがって、「提案を役立たせていただきます」という表現は不適切で、他動詞「役立てる」を用いた「提案を役立てさせていただきます」が適切です。

【○○させていただきます】

ぷかかかカー
にえー
店内禁煙
兄ちゃん
ビク
店内禁煙
ハ、ハイ!?
灰皿置かんかったらエエだけの話ちゃうんか？
あー？
ハウッ

三タテ

【質問】「三《さん》タテ」と言えば「同じ相手に三連敗する」という意味だと思いますが、最近野球の記事で「三連勝」の意味でよく使っています。これは間違いではないのでしょうか。

【答え】「三タテ」のようにカタカナで書くことが多いようですが、「タテ」にあたるのは、やはり「立て」と考えていいでしょう。この「立て」の用法の一つとして、『明鏡国語辞典』では造語成分（単語を構成する要素）とし、「同じ相手に連続して負けた回数を数える語」として「三立てを食う」の例を挙げています。この「立て」の用法については、品詞上は接尾語として扱うものもありますが、意味の説明は、どの辞典でもだいたい共通しているようです。

使うのはどっち？ 40

「地震（じしんvs.ぢしん）」、現代仮名遣いではどっち？

常用漢字「地」の音には、「チ」と「ジ」があり、それぞれ「地下・天地・境地」「地面・地震・地元」などと使う。前者が漢*音、後者が呉音である。「地下」は「ちか」と書くから、「地面」の仮名遣いは「ぢめん」に違いないと考える人があるが、これは間違いだ。「執着（しゅうじゃく）」「沈丁花（じんちょうげ）」の場合と同様に、「地（じ）」は初めから濁っていたもので、その場合の仮名遣いは、呉音をそのまま用いて「じ」

ところが、ご指摘のように、現在では、相手に三連勝した場合でも、「阪神が巨人を（に）三タテ」のように使う例が多く見られるようになりました。本来は〈三連敗をこうむる〉の意味で「三タテを食う［食らう］」「三タテを喫《きっ》する」という慣用表現として定着してきたものですから、「連勝」の意味で使うのは当然適切でないと言うことができるでしょう。

ただ、「勝ち／負け」は、一つの現象を両面から言ったものでもあり、「三タテを食う」が定着した結果、「三タテを食わせる」の形で〈相手に「三タテを食う」ようにさせる〉という使役の用法をとることが生じたものと思います。

プロ野球では同一カード三連戦が基本であるため、プロ野球の勝敗に「三タテ」の用例が多く見られますが、当然それに限るわけではなく、新聞記事では将棋の七番勝負で〝「四タテ」を食らう〟と使った例もありました（ただしこれはカギ括弧付きでもあり、例外的な使用のようです）。新聞では、「三タテ」を見出しに使うことが多く、その場合、「阪神、３タテ！」のよう

と書くのが正しい。（鳥）

＊漢音＝隋《ずい》・唐の時代に日本に伝えられた、中国北方系の発音に基づく漢字音。

に使っていても、相手を「三連敗」の状況に追い込むという理解が可能なので、受け入れやすいのでしょう。新聞社において、この用法を問題にしたことがあり、関西地区の新聞各社の場合、「三連勝」の意味で使うことを原則不可とするものが半数、見出しに限定して許容しているのが半数という結果だったそうです（東京新聞、二〇〇三年六月二日、校閲部の方のコラムによる）。これによれば、記事の本文中では「三連勝」の意味に使うのを避けているわけですが、ただし、最近のスポーツ紙やインターネットでの使用状況を見ると、現在「三連勝」の意味でもかなり自由に使っているようです。

ところで、この「タテ」の意味ですが、前述したように、漢字表記では「立て」があてはまり、「立てる」という動詞の用法に結びつくものだとは思いますが、正確なところははっきりしません。関連するかと思われるものとして、「立てる」の一つの用法として、博打の際に金品を賭《か》けるという意味がありま す。軍記物語の『太平記』に例があり、狂言でも、和泉流の台

使うのはどっち？ 41

「どう？」「どお？」「どうお？」、正しい仮名遣いはどれ？

これは、「これなんか、どう？」などと使う、副詞の「どう」。最近、小説で「そのかわり、来月はどお？」などと書かれたものをよく見かける。さらに、極端な場合は「私じゃ、どうお？」というのまである。「どう？」の発音を子細に検討すると、確かに「お」の存在が感じられはするが、そういう場合でもオ列の長音はオ列の仮名に「う」を添えるのが現代仮名遣いの決まりだ。「どう」が正解。（鳥）

本に「いろいろの立て物を致《いた》いたれども、もはや立て物に尽きて」（天理本狂言六義《りくぎ》・縄綯《なわない》）のように「立て物」という言葉が使われています。推測の域を出ませんが、このように、賭けたものを続けてとられるというあたりが語源だったのではないでしょうか。ただし、それが語源だとしても、「連敗」という用法がいつから定着し、それがまた、いつから「連勝」の意味にも転じ出したのか、詳しいことは不明です。

結論として、現在のところ、規範的な立場では、「三タテ」は「三連敗」を言うもので、「三連勝」をさすのは誤りだということになります。ただ、将来は、「三タテを食わせる」といった用法が広まり、さらには「〜に三タテ（＝三連勝）した」という用法も広まっていくかもしれません。

（小林賢次）

ポイント！
●「三タテ」は、「三連敗」をさすものです。ただし、「三連勝」の意味で使うことも次第に多くなってきています。

ご住所書いてもらっていいですか

［質問］　役場の窓口で、係の人が書類を差し出して「ここにお名前とご住所書いてもらっていいですか」と言いました。適切な表現と言えるでしょうか。

［答え］　同様のご意見がたくさんの読者から寄せられました。そのうちのいくつかをご紹介しましょう。

・注射のとき看護婦さんから「横向いてもらっていいですか」と言われ、驚いた。（男性・七一歳）

・観光地で「（カメラの）シャッター押してもらってもいいですか？」と頼まれたことがあり、ちょっと違和感がありました。（男性・五一歳）

・エレベーターに乗り合わせた人から「三階を押してもらっ

使うのはどっち？ 42

「{ぽっと・ぽうっと・ぽおっと}顔を赤らめた」、正しいのはどれ？

「ぽっと」は基本形。「ぽうっと」は、オ列の長音は「う」を添えるという通則に従って、「ぽっと」を長音化したもので、これも正しい。実際に最も行われる形だ。「ぽおっと」は、オ列の長音を「お」で表していて、右の通則からは外れるが、誤用というわけではない。現代仮名遣いは、擬音・擬態的描写の場合は、必ずしもその通則によらなくてもいいからである。「ぽうっと」に比べると頻度は劣るが、円地文子も「須

てもいいですか」。私の答え「押したくないんだけど、いいですか」。（女性・五五歳）

これらの言い方は、相手に何かをお願いするという依頼の場面で使われています。しかし、「〜して（も）いいですか」は依頼の表現ではなく、許可を求める表現です。「休んでもいいですか」「入ってもいいですか」のように、自分が何かをすることについて相手の許可を求めるときに使います。それに「もらう」が加わって「〜してもらって（も）いいですか」となった場合は、次の例が示すように、自分のために誰か（聞き手や第三者）に何かをしてもらうことの許可を求める表現になります。

（パートの社員に）今日は夕方まで残ってもらっていいかな。

（子供の親に）息子さんに買い出し手伝ってもらっていいですか。

冒頭の例がおかしいと感じるのは、依頼の表現を使うべきところに許可を求める表現が使われたことが原因となっているのだと思います。ところで依頼と許可を求めるのでは何が違うの

賀はぽおっと眼を霞《かす》ませて」などと使っている。（鳥）

でしょうか。この問題を考えるために、まずは、許可を求める表現がどんなときに適切に使われるのかを考えてみましょう。
許可を求める表現を適切に使うには、次の条件が必要です。
◆自分がそのことを望んでいるとき。
そもそも自分が望んでいないことの許可を求めるというのはおかしな行動です。この点に関しては、冒頭の例すべてが条件を満たしており、「患者に横を向いてもらいたい」「シャッターや三階のボタンを押してもらいたい」と思ったときに使われています。では、次の条件はどうでしょう。
◆相手に、諾否《だくひ》についての選択の余地があり、そのどちらを選択するかを尋ねたいとき。
「諾否についての選択の余地がある」というのはイエス、ノーのどちらを言う権限もあるということです。相手にその権限があると思えないときにこの種の表現を使うと、おかしなことになってしまいます。たとえば、スピード違反を取り締まる警官が違反者に対して「罰金を払ってもらっていいですか」など

使うのはどっち？ 43

「海藻サラダ」vs.「海草サラダ」、どっち？

植物学的には、コンブ・ワカメ・トサカノリの類は、「海藻」であって「海草」ではない、「海草」とは、アマモ・イトモ・スガモなど、海中にはえる種子植物のことだ、「海草サラダ」なんて、ありえない——この事実を知ってさえいれば、「海藻」を「海草」と書くことはないはずだ。ただ、「海藻」を「海草」と書く文筆家は結構多い。（鳥）

と言ったらとても変です。違反者に罰金の支払いを拒否する権限がないからです。注射をされる患者さんも看護婦さんに協力しなければ支障が起こるかもしれないのだから協力するのが普通です。写真を撮ってほしいと頼まれた観光客や操作パネルのそばにいる乗客も、他人との円滑な関係を保ちたいと思うのなら協力するのが当然で、それを断ったりしたら変人だと見なされかねません。役場の書類も名前と住所を書かなければ手続きが進まないのですから、ノーと言う人がいるとは思えません。

　つまり、冒頭の例は、諾否に関する選択の余地がない人に対してどちらを選択するか尋ねる表現が使われているところにおかしいと感じる理由があるのです。一方、依頼の表現のほうは、相手の諾否を聞くこと自体が目的ではありません。依頼とは相手を動かすように働きかける行動ですから、最終的に相手が動いてくれることが目的です。丁寧な依頼表現では「～していただけませんか」のように疑問を装いますが、これも相手に選択の余地があるように見せかけて、実は相手が動くよう働きかけ

使うのはどっち？　44

「丼《どんぶり》」vs.「丼《どん》ぶり」、どっち？

漢和辞典には、「丼（どんぶり）」という字に「いど、どんぶり」という訓をのせている。「どんぶり」の略語で、「天丼《てんどん》」「牛丼《ぎゅうどん》」などと使う。「丼（どん）」はまだ認められていない。一方、牛丼店の看板で見かける「丼ぶり」。これは誤りで、「丼」一字で「どんぶり」と書くのが正しい。が、読みやすさの点では、「丼ぶり」は「丼」を圧倒する。（鳥）

ているわけです。依頼表現がときとして指示や命令に近い意味を持つのも、この〈働きかけ〉という機能によるものです。

さて、冒頭の例のような言い方は若い人たちの間で使われるようになったもので、年配の人たちからは不興を買うことが多いようです。「ソフトな言い方だけど、ノーと言わせない雰囲気がある」「してもらって当たり前という押しつけがましさを感じる」。こんな印象を持つ人が少なくありません。

ノーと言えない立場の相手と知りつつ許可を求める表現を使うわけですから「ノーと言わせない雰囲気」を感じるのは当然だし、押しつけがましいと感じられてもしかたありません。敬語を使って「〜していただいてよろしいですか」と言ったところでこの印象が変わるものではありません。

それにもかかわらずこの表現が使われ続けているのはなぜでしょう。その原因は、「〜してもらう」という言い方の持つ〈恩恵〉という意味にあるのではないかと思います。若い人たちは「〜してもらう」を使うことで相手の行為によって自分が

使うのはどっち？ 45

「リンクを{貼る vs. 張る}」、どっち？

「張る」が正解。「貼《は》る」は、糊《のり》などを平らな面に付着させる意で、「壁にポスターを貼る」などと使い、「張る」と書くこともできる。「張る」は、糸状・網状・布状のものを広げ渡す意で、「つな[あみ・幕]を張る」などと使うが、そのほかに「クモが天井に巣を張る」「野外にテントを張る」などとも使う。これは、「〜を」に〈動作の結果生じたもの〉をとるもので、広げ渡して、ある物を作り出す意。「リンクを**張る**」はこれで

恩恵を被《こうむ》ることを表し、ありがたいと思う気持ちを伝えているのだと思います。それに加えて許可を求める表現を使うことで、相手にお伺いを立て、依頼の押しつけがましさを軽減しようとしているつもりなのでしょう。堅苦しい敬語抜きで親しみを込めた丁寧さを表したいという気持ちから発せられた言葉なのだと思いますが、現実は全く逆効果だとしか言えません。

そんなことなら初めから依頼の表現を使い、「～してください（ますか）」「～していただけませんか」「～お願いします」と言ったほうが無難です。これなら誰にでも素直に受け止めてもらえる言い方だろうと思います。

（砂川有里子）

ある。（鳥）

ポイント！

「～してもらっていいですか」は、依頼するのではなく、許可を求める表現で、イエス・ノーを言う権限のある人にそのどちらかを尋ねる表現です。相手に許可を求める場面ではなく、お願いをする依頼の場面では、「～してください」「～してくださいますか」「～していただけませんか」「～お願いします」などと言うのが適当です。

汚名挽回

[質問]　前書『問題な日本語』のコラムでは、「名誉挽回《ばんかい》」も「汚名挽回」も正しい言い方だとしていますが、本当でしょうか。

[答え]　「汚名挽回」誤用説は、①「挽回」は取りもどす意だから、取りもどすことに意味のある〈名誉〉を、「名誉挽回」とするのは正しいが、取りもどすことに意味のない〈汚名〉を、「汚名挽回」とするのは間違いだ、②〈汚名〉は、取りもどすべきものではなく、返上すべきものだから、「汚名挽回」ではなく、「汚名返上」としなければならない、というものです。

確かに、「名誉」と「挽回」、「汚名」と「返上」は、かなり緊密に結びついているように見えますが、では「汚名」と「挽

使うのはどっち？ 46

「早い」VS.「速い」は、どう違う？

「早い」は基準時より前という意、「速い」は動作に要する時間が短いという意を表す。「朝早い」「早く帰る」は「早」、「スピードが速い」は「速」を使う。動作に要する時間が短い意の場合、特に、移動以外の動作に関しては使い分けが曖昧《あいまい》になり、「早口」「早業《はやわざ》」「素早い動作」のように「早」が用いられることもある。（砂）

回」が緊密に結びつくことはないのでしょうか。それを知るために、「挽回する」の意味用法を確認してみましょう。
「挽回する」の「挽」はひっぱる、「回」はもどす。「挽回」は、ひっぱって自分のほうにもどす意。これが基本義で、次のような用例のなかにもしっかりと生きています。

　失地［奪われたシェア］を挽回する（＝取り戻す）
　損失［失った財産］を挽回する（＝取り戻す）
　失点［失敗・失策・失政］を挽回する（＝取り戻す）
　勉強の遅れを挽回する（＝取り戻す）

　これらは、「〜を」に〈現在の状態を過去の状態より劣ったものとみなした語〉がきたもので、その意味は、おおむね〈奪われたものや失われたものを取り戻す〉となります。「奪回する」「回復する」で言いかえられる場合もあります。
「挽回する」の意味用法は、それだけではありません。

　（昔の）勢い［戦力］を挽回する（＝取り戻す）
　（往年の）輝かしい栄光を挽回する（＝取り戻す）

使うのはどっち？ 47

「醤油《しょうゆ》」vs.「正油《しょうゆ》」、どっち？

「正油」は、飲食店などではおなじみの表記である。民間表記の典型例で、それが〈醤油〉を指していることはよくわかるが、書き取りの試験では、やはり「×」をもらうことになろう。八百屋流の民間表記にも、「きゃ別」「白才」「楽京（←辣韮・ラッキョウ）」「逢恋草（←菠薐草・ホウレンソウ）」「天豆（←蚕豆・ソラマメ）」などがあって、中には思わず（納得の）笑いを誘うものもある。ただし、「人肉（←大蒜・ニンニク）」は、ちょっと困る。（鳥）

（全盛時の）**名誉**［人気・名声］を挽回する（＝取り戻す）

これらは、「〜を」に〈過去の状態を現在の状態よりも優れたものとして評価した語〉がきたもので、その意味は、おおむね〈もとのよい状態を取り戻す〉となります。「取り返す」「回復する」でも言いかえることができます。

すでにお気づきのことと思いますが、冒頭で問題にした「名誉挽回」がここに現れています。その意味は、〈今はなき、全盛時の名誉を取り戻そう〉というわけです。

「挽回する」の意味用法には、以上のほかに次のようなものもあります。

衰勢［劣勢・頽勢《たいせい》（＝衰えていく形勢）・敗勢・守勢］を挽回する

衰退した家運［不利な態勢］を挽回する

失墜した名誉［地に落ちた名声］を挽回する

不名誉［**汚名**・不評・悪評・不人気］を挽回する

これらは、「失地を挽回する」などと同様に、「〜を」に〈現

使うのはどっち？ 48

「仕合わせ」と「幸せ」、同じもの？

「しあわせ」は、もともと「しあわす（為合わす）」という動詞の連用形で、めぐりあわせ、運という意味。「しあわせがよい［悪い］」のように使われ、「しあわせ」自体はプラス・マイナスの評価にかかわらない中立のものだった。現在でもこの意味で「仕合わせ」と書くことがある。ただ、「しあわせな」という形容動詞の場合や「しあわせをする」という用法では、幸運という意味になり、江戸時代にはいってから、幸福、幸という意味に転じるようになっ

在の状態を過去の状態より劣ったものとみなした語〉がきています が、「取り戻す」で言いかえることができません。それこそ、愚にもつかない「衰勢」「衰退した家運」「失墜した名誉」「不名誉」「汚名」などを取り戻してどうしようというのか、ということになりますから、その意味は〈もとのよい状態を取り戻すために、巻き返しをはかる。盛り返す。立て直す〉とでもするしかなさそうです。冒頭で問題にした「汚名挽回」の「挽回」は、〈取り戻す〉という意味で使ったものではなく、〈巻き返しをはかる〉という意味で使ったものだったのです。

「頽勢を挽回する（＝頽勢に対して、巻き返しをはかる）」が正当な言い方で、「失われた名誉を挽回する（＝失われた名誉に対して、巻き返しをはかる）」がきちんと言えるなら、「汚名を挽回する」も、さらには「不名誉を挽回する」も言えるということになります。これらは、基本的には、「〜を」に同じ意味内容の語がきているからです。

「挽回」のこのような用法の実例を挙げておきます。

た。漢字表記「幸」の訓は、「さいわい」あるいは「さち」が本来のもので、「幸（しあわ）せ」の訓が生まれたのは明治時代半ばのころのことである。（小）

・徳川幕府の頽勢を挽回し、併せてこの不景気のどん底から江戸を救おうとするような参覲《さんきん》交代の復活は（島崎藤村）

・父が株券などに手を出して一時は危くなった家産を旧《もと》通りに挽回する（与謝野晶子）

・海軍力の劣勢を挽回するだけでなく、優勢に一変させる方策はないだろうか（塩野七生）

・（彼ハ）その**不名誉**を挽回するためにそうしたのである（新田次郎）

・このところ不祥事続きで、今回はどうしても**汚名**挽回といきたくてね。（つかこうへい）

・海軍は…、それをせず、**汚名**を挽回するチャンスを与えたのである。（田中光二）

（鳥飼浩二）

使うのはどっち？ 49

「ご存知」vs.「ご存じ」、どっち？

動詞「存ずる」の連用形「存じ」の上に接頭語「ご」を付けたもので、「ご存じ」が正しい。「存じ」は謙譲語だが、「ご」を付けて全体で尊敬語に転用したものである。一般には「存知」と書かれることも多いが、当て字。ただ、心得ている、という意味の「存知（ぞんち・ぞんぢ）」という語も中世から使われており、それと混同したものともみられる。

（小）

ポイント

「汚名を挽回する」は、「頽勢《たいせい》を挽回する」などと同様に、「〜を」のところに〈現在の状態を過去の状態より劣ったものとみなした語〉がきたもので、間違った言い方ではありません。「挽回」には、〈取り戻す〉という基本の意味（名誉を挽回する）と、〈巻き返しをはかる、盛り返す〉と解される意味（汚名を挽回する）があります。

正しいお坊さん
手の平のシワとシワを合わせるとシアワセ〜〜〜
微妙なお坊さん…
ではフシとフシを合わせると？

【仕合わせ／幸せ】

やばいよ、この味

［質問］　若い人が「やばい」をよい意味で使っているのに戸惑います。このまま定着するのでしょうか。

［答え］　「やばい」は、もともと、盗人の隠語（仲間内だけで通じるように仕立てた言葉）で「捕まるおそれがある、危険だ」などの意味を表します。現在は、少し意味が広がり、「勉強していないから、今度の試験、やばいよ」といったように、「自分に不利な状態が迫っている」という意味で使われています。

ところが、最近、若者の間で、「やばいよ、この味」のような言い方がなされています。別に、腐って食中毒を起こしそうな味だということではありません。同じ場面で、「やっべ、これ、うっまー」などとも使われるように、おいしさが際だって

使うのはどっち？ 50

「{来《き》たる VS. 来《きた》る}五日」、送りがなはどっち？

「きたる五日」などと、体言を修飾する連体詞の「きたる」は、文語動詞「きたる」（「来至《きいた》る」の約）の連体形からきたもの。常用漢字表では、「来」の音訓の欄に「きたる」、その例の欄に「来る○日」と掲げるので、「来《きた》る」と送るのが正解。常用漢字表は、「首相、きたる」などの動詞の用法に言及しないが、これは漢字表が文語を対象とはしないからだ。

こうした場合、「現代仮名遣い」の*本則を適用すると、基本形「来《く》る」

いることを表しているのです。

「やばい」のこれらの用法にはいくつか特徴があります。一つは、これは、ほめ言葉にしか使わない人が多いということです。もちろん、「やばい、遅刻しそうだ」という従来の用法はありますが、「やば、これまずっ!」「やばい、さっむー!」といったマイナスの評価には使いにくいようです。

ほめ言葉に使う「やばい」は、「(感動して)自分がやばくなるほどだ、自制がきかなくなってしまいそうだ」という意味でしょう。「恐ろしく(すごく)うまい」というのも、もともとは、「自分が恐ろしい(すごい)と感じるほどうまい」ということですから、使い方は同じです。「恐ろしく」や「すごく」は「恐ろしくうまい」「恐ろしくまずい」のように、評価のプラス・マイナスにかかわらず、単純に程度の甚だしさを表しますが、「やばい」は、マイナス評価を表す「やばい」をプラス評価の「うまい」と一緒に用いるミスマッチによって、刺激的な表現にしているのです。

に対応させて「来《き》たる」と送ることとなる。同じ「きたる」でも、連体詞と動詞では送りがなが異なることに注意したい。(鳥)

＊本則＝「現代仮名遣い」における基本的な法則。「許容」に対する。

二つめは、「すごい」が「すげーでかくなった」のように副詞的に用いられるのに対し、「やばい」は、「このカレー、やっべーうまくなった」のように副詞的に用いると不自然だと感じる人が多く、「やっべ、これ、うめー」「うんめ、ちょっと、やべーよ、これ」のように、感動詞的な用法が中心である点です。大学生や高校生にアンケートしたところ、多数が「これ、やっべーうまくなった」という言い方は不自然だと判断しました。

三つめに、食べている最中や食べ終わってすぐに、「やっべ、うっめー」などと言い、「あのカレー、おいしかった?」「うん、うまかった、やっべー」のような、その場を離れた思い起こしや報告の表現ではあまり使わないという点があります。「すごい」ならば、「昨日食べたカレー、すんげうまかったよ」のように自然に使えるところですが、「やばい」は、その場との結びつきがきわめて高い表現のようです。

こうして見てきますと、最近の若い人たちの「やばい」は、ミスマッチの効果による刺激的な表現として、感動詞のように

使うのはどっち? 51

「四季折々」vs.「四季折り折り」、送りがなはどっち?

「四季折々」が正解。「折」と「折り」の使い分けは、次のごとし。①「~した折・折あしく・折から・折も折・四季折々の花・時折」など、時間の意を表すときは送らない慣用が固定していると考えて、送りがなをつけない。②「折りに詰める・折り箱・折り合い・折り紙・折り詰め・折り目・折り返し・折り畳み・折り込み・菓子折り・三つ折り」など、①以外では送りがなをつける。(鳥)

使われているようです。この刺激は多用されることによって薄れていきます。一部には、「やばい」を「すごい」や「恐ろしく」と同じように、程度を表す副詞のように使っている人もいますが、ほかのもっと刺激的な表現に取って代わられてしまうのではないでしょうか。

（矢澤真人）

ポイント!

若い人たちがよい意味で言っている「やばい」は、ミスマッチの効果による刺激的な表現として使われていると思われます。

ご挨拶

[質問]　「一言ご挨拶《あいさつ》（を）申し上げます」のように、自分側の行為について「ご」を付けるのはおかしくないでしょうか。

[答え]　「ご」が付くのだから尊敬語のはずで、それを自分側の行為に使うのはおかしいのではないかというご質問ですが、「ご～（を）申し上げます」の形で、自分自身がへりくだる謙譲語は、その動作を受ける相手を高めることになるので、広く使われている問題のない言い方です。また、「当社会長よりご挨拶（を）申し上げます」のような用法も、外部の人に対して敬意を表すため、司会者が会長を、内側の人間として低めて表現したもので、やはり謙譲語としての一般的な用法ということになります。なお、「のちほどご連絡（を）申し上げます［いた

使うのはどっち？　52

「並製品」VS.「並み製品」、「例年並」VS.「例年並み」、送りがなはどっち？

「並製品」「例年並み」が正解。「並」と「並み」の使い分けの要領は、次のごとし。①「並の人・鮨の並・**並製品**・並肉・並幅・並大抵・並々ならぬ・並外れる」など、程度・等級が普通である意では「並」で、送らない。②「山並み・街並み・足並み・毛並み・軒並み・**例年並み**・十人並み・人間並み・お手並み」など、同じ種類のものが並んでいる、それと同じ程度・部類である意では「並み」と

します」」など、この「ご～」のあとに謙譲語がくる用法のほか、「お手紙を差し上げます」「お電話をいたします」「暑中お見舞い申し上げます」など、「お～」のあとに謙譲語がくる場合も同様です。

さらにまた、「いたします」などの謙譲語の代わりに「する」を用いて、「ではご案内しましょう」「ちょっとご説明します」「のちほどお届けします」のように使っても特に問題はありません。これは、「ご～する」「お～する」という言い方も、現在では謙譲語として認められているためで、「ご案内します」は、「ご案内申し上げます」や「ご案内いたします」よりも敬意が低い、つまり、あまりかしこまっていない言い方ですが、動作の受け手である相手を高めていることには変わりがないと言うことができます。

もっとも、歴史的にみると、この「ご」や「お」「おん」、すなわち「御」の用法は、本来は貴人の行為や状態、あるいは持ち物などに関して、その人に敬意を表すもの、つまり尊敬語の

送る（本則の場合）。③「並木」は、並ぶ意であるが、送らない慣用が固定していると考えて送りがなをつけない。（鳥）

用法に限られていました。「ご出陣」「ご家来」「ご満足」「ご沙《さ》汰《た》」など、広く使われているところです。「御《お(ん)》太刀《たち》」「御《お(ん)》歌《うた》」と言えば、貴人の太刀・貴人の歌ということになります。

このような尊敬語の用法に対して、「ご挨拶申す」「ご意見申す」のような謙譲語の用法が生じたのは、ややのちのこととなり、室町時代のころからです。これは「ご意見あり」あるいは「ご意見なさる」という動作をする人を高める尊敬用法に対して、動作の影響が及ぶ相手を尊敬する気持ちで、自分側の行為にも改まって「ご」「お」を付ける用法として発生したものです。「ご挨拶を申し上げる」の形で、「を」を付けて「ご挨拶」が独立する用法は、やや時代が下ってからのものですが、現在では「ご〜(を)申し上げます」「お〜(を)申し上げます」などは、ごく一般的な謙譲表現になっていると言うことができます。

（小林賢次）

使うのはどっち？ 53

「女の子{とばかり VS. ばかりと}遊ぶ」は、同じ意味？

「彼」のように単数で固有のものを相手とする場合は、「彼とばかり遊ぶ」も「彼ばかりと遊ぶ」も、遊ぶ相手は「彼」に限定される。「女の子とばかり遊ぶ」「女の子ばかりと遊ぶ」のように相手が複数の場合は、遊ぶ相手を女の子に限定して、男の子とは遊ばないという解釈は共通するが、後者にはさらに、「女の子だけのグループと遊ぶ」という質を限定する解釈も出てくる。

（矢）

ポイント

動作の影響が及ぶ相手を尊重する気持ちで、自分側の行為にも改まって「ご」「お」を付ける用法は室町時代のころから見られ、「一言ご挨拶（を）申し上げます」「お手紙を差し上げます」などは、現在では一般的な謙譲表現と言えます。

【ご挨拶】

御挨拶
えー
ただいま御紹介にあずかりましたー
誤挨拶
えー
新郎はチョー男前でチョー誠実でチョー仕事できるっぽいでーす

コーン
えっ 第2弾出るの？
マジー？
心の準備が
ごあいさつだなー
なんだよ オレ出番なしかよ
けっ けっ けっ

ふたたび、よろしかったでしょうか

【質問】「よろしかったでしょうか」についてもう一度質問します。し終わった「過去の注文」に対する確認であっても、一連の流れの中で行われる場合、「今の注文」だと感じます。やはり現在形で確認すべきではないでしょうか。

【答え】　前回の質問は、「ご注文は以上でよろしかったでしょうか」などの言い方が気になるが、過去形を使う必要があるのか、というものでした。

「よい（よろしい）」と「よかった（よろしかった）」の違いは、前者が現在のことについての現在における評価を表すのに対して、後者は過去のことについての現在における評価を表すというところにあります。ですから、「ご注文」を過去のこと

使うのはどっち？ 54

「自動車{にばかり VS. ばかりに}乗っている」は、同じ意味？

それでは、「自動車」のような一般的なものを対象とする場合はどうか。「自動車にばかり乗っている」「自動車ばかり乗っている」は、ともに「自動車だけで他の乗り物に乗らない」という「乗る」対象を限定する解釈は共通するが、前者にはさらに、「自動車に乗っているばかりで歩くことをしない」のように、日常的な行動全体から「自動車に乗る」ことを限定する含みも出てくる。（矢）

と見なすことができれば、「ご注文は以上でよろしかったでしょうか」も許されるということになります。注文をいろいろして、し終わった、それは現在の注文ではありますが、し終わった過去の注文でもあります。注文が過去のものと見なされるならば、「先ほどのご注文はあれでよろしかったでしょうか」に準ずるような言い方として許されるのではないでしょうか。

以上のようにお答えしたのですが、「し終わった注文」であっても、注文と確認が一連の流れの中で行われているのだから、「過去の注文」ではなく「今の注文」と感じられる、やはり現在形で確認すべきではないか、というのが、今回のご質問です。

前回は、質問の主旨がそうであったこともあって、過去形か現在形かの問題についてだけに限定してお答えしましたが、どうも他にも考えてみなければならないことがありそうです。断っておきますが、私も「以上でよろしかったでしょうか」という言い方には強い違和感を持っているのです。ただ、一連の流れの中で行われていても、「た」は使われます。

使うのはどっち？ 55

「体｛を vs. に｝さわる」は、どう違う？

「体を触《さわ》る」は、体が「触る」行為の対象となり、体のあちこちをなでたりさすったりする意が強く出る。「体に触る」のほうは、「体を触る」に比べると軽く接触する感じがあり、自分の体に何かが触れるという表現にもなる。なお、「障《さわ》る」をあてた「体に障る」の場合は、体に悪い影響が出るの意で、別のものとなる。（小）

そのことを、別の例でもう一度確認しておきましょう。たとえば、来訪客にお土産をもらったばかりの子供に対して、親が、その客の目の前で、「（お土産をもらって）よかったねえ」「よかったでしょう？」と過去形で言うのは自然でしょう。もらったことと感想（評価）が一連の流れの中で行われている場面です。もちろん「（お土産をもらって）いいねえ」「いいでしょう？」とも言いますが、現在形では、もらったことを必ずしも前提としない、現在の評価のような感じが強くなります。

別の例で考えてみましょう。「待っていてよかった」は感想を述べている現在の直前まで待っていたわけですし、「間に合ってよかった」も間に合ったのは感想を述べている現在です。「彼が来なくてよかった」は現在もまだ彼は来ていないのです。いずれも「待っていた」「間に合った」「来なかった」という直前の結果を踏まえての感想ですが、一連の流れの中で行われているものであることは確かでしょう。

さて、本題に戻って、「ご注文は以上でよろしかったでしょ

使うのはどっち？ 56

「神社{に vs. を}参拝する」は、どう違う？

「神社に参拝する」だと、神社に行ってそこでお参りをするという意味になる。一方、「神社を参拝する」だと、神社を信仰の対象として、行って拝む、の意となる。外見からは同じ行為に映るが、力点の置き方が異なっている。（小）

うか」という言い方について考えてみましょう。

まず、「以上でよい（よろしい）」は、注文は以上で（他にしなくて）よいという話し手（自分）の現在の気持ちを表す言い方で、これはまったく問題のない表現です。ただ、「よろしい」は「よい」の改まった言い方ですが、「よろしい。」と言い切ると、威張って言う感じが出ます。

次に、「以上でよかった（よろしかった）」ですが、これは、今回も繰り返し説明しましたように、論理にかなっていますし、問題のない言い方です。他に注文をしていないという結果を踏まえて「よかった」という自分の評価（感想）を述べているものです。ただ、実際に使えるかどうかを考えてみますと、「よかった」はまったく問題ありませんが、「よろしかった」は、あまり使われないようです。

それはどうしてでしょうか。「昨日の料理はよかった」のように、明確な過去のことについての現在の感想に「よかった」が使えることは、もう説明を要しないと思いますが、「よろし

57 使うのはどっち？

「取るに{足らない vs. 足りない}」、どっち？

どちらの形も使われており、ゆれている。一般に現代共通語では「足りない」が優勢になってきているが、このような慣用表現の場合、「取るに足らず」という文語的な用法を受け継いでいるため、「足らない」も好まれるようだ。二つの語形があるのは、もともと五段活用の「足る」（足らない）に対して、近世の江戸語で上一段活用の「足りる」（足りない）が使われるようになったため。同類のものに、「借る／借りる」「飽く／飽きる」などがある

かった」は明確な過去のことについての感想にも使えないようです。「昨日の料理はよろしかった」は変でしょう。ましてやと言っていいかどうか分かりませんが、「もらってよろしかった」「間に合ってよろしかった」「彼が来なくてよろしかった」のように直前の結果を踏まえての感想を「よろしかった」と言うのは変です。要するに、「よろしかった」という過去形は変だということです。

違和感の生じる理由はこの辺にあったようです。「よろしい」と言うべきで、「よろしかった」と過去形で言うのは変だという語感は正しいのです。「よい」の場合は「よかった」という過去形が問題なく使えますので、それに準じて、「よろしかった」も使えるのではないかとお答えしたのでしたが、実際には「よろしかった」はあまり使われることのない言い方だということを指摘すべきでした。ただ、どうして、「よかった」が自然で、「よろしかった」が変な言い方であるのか、その理由は別に考えなければなりません。

（北原保雄）

が、「足る」と「足りる」は、特に「足らない」と「足りない」に関して、現代においてもゆれている状態ということになる。（小）

ポイント 一連の流れの中で行われている事柄について「〜た」と過去形を使うのは間違いではありませんが、「よろしかったでしょうか」の場合は、そもそも「よろしかった」があまり使われない表現であるため、不自然に感じられるのでしょう。

【取るに足らない／取るに足りない】

間違ってるっぽい

［質問］「間違ってるっぽい」などの「っぽい」の使い方が気になります。誤用ではないのでしょうか。

［答え］「っぽい」は名詞、形容詞・形容動詞の語幹、動詞の連用形に付いて、それらの語を形容詞にします。形容動詞の語幹や、動詞の連用形というのは、名詞的なものですから、「っぽい」は、総じて名詞的なものに付いて、「っぽい」の意味の加わった形容詞を作る接尾語だと言えるでしょう。

「っぽい」の一般的な用法を見てみますと、まず、名詞に付く例としては「子供っぽい」「学者っぽい」「黄色っぽい」などがあります。そのものズバリとは言えないが、それに似た性質を持っているという意味です。「ほこりっぽい」「粉っぽい」

使うのはどっち？ 58

「間違いVS.間違え」「間違うVS.間違える」は、どっちが正しい？

五段活用の「間違う」と下一段活用の「間違える」とは、現在ともに使われているが、自動詞の場合は、多く「間違って答える」のように、「間違って」「間違った」の形で五段活用となり、他動詞の場合は、「答えを間違える」のように「間違える」を使うのが一般的。最近では、他動詞の場合にも、「答えを間違う」「間違わないように答える」のように「間違う」を使う傾向もみられるが、「間違える」のほうが標準

「艶《つや》っぽい」など、印象としてそのものに近い、いかにもそういう感じを受けるという意味を表す場合もあります。こちらの意味は形容詞や形容動詞に付いた場合も同様で、「荒っぽい」「安っぽい」「俗っぽい」「哀れっぽい」などが挙げられます。

一方、動詞の連用形に付いた場合は、「飽きっぽい」「忘れっぽい」「惚《ほ》れっぽい」「怒りっぽい」など、そうしがちな性質を持っているという意味を表します。このような用法は名詞に付いた「愚痴っぽい」などにも共通します。

さて、以上が一般的な「っぽい」の用法ですが、名詞的なものに付くといっても、何にでも付くというわけでなく、「倉庫っぽい建物」「馬鹿っぽい人」「サボリっぽい子供」などの言い方に抵抗を覚える人は少なくないはずです。このように、「っぽい」が付いてだれにでも許容される語というのは限られています。特に、形容詞・形容動詞の語幹、動詞の連用形の場合はごく少数の限られた語にしか付きません。名詞はそれよりは多いものの、限られた語にしか付かないという点は同様で、外来

的だ。ただし、名詞形になると「間違いさがし」「間違いない」のように「間違い」が普通で、「間違え」はほとんど使われない。間違っていること、の意味で自動詞からきているからだろう。(小)

語や固有名詞に付く例はほとんどありません。

しかし最近では、「白熱灯っぽい蛍光灯」「夏っぽい服装」「今っぽい発想」「普通っぽい人」「古っぽい考え方」「嫉妬《しっと》っぽい男」など、かなり幅広い語に使われるようになってきました。「アダルトっぽい」「レースっぽい」「あゆっぽい（＝浜崎あゆみっぽい）」のように外来語や固有名詞に付く例も見られ、かなり自由に使える生産的な接尾語に変わってきているようです。しかし、まだまだ俗語や若者言葉といった印象がぬぐえないものが少なくありません。

これらは、「白熱灯のような蛍光灯」「夏らしい服装」「今風の発想」「普通に見える人」「古くさい考え方」「嫉妬深い男」のように、それぞれ別の表現で言い分けられていたものが、すべて「っぽい」一語で間に合わせられているわけです。細かく言い分けなければならない表現をたった一語で間に合わせられるといった便利さはありますが、「春っぽい陽気」という表現からは「春めいた陽気」にみられる独特の味わいはくみ取れま

使うのはどっち？ 59

「事件が{起きる vs. 起こる}」は、どう違う？

上一段の「起きる」と五段の「起こる」は、ともに他動詞「起こす」に対する自動詞。古くは「起こる」が一般的で、「起きる」は、横になっていたものが立つ意で使われ、物事が発生する意は新たに発達してきたもの。「起こる」のほうが、発生してそれが続くという継続的な意味合いがやや強い。しかし、現在日常語では「起きる」が優勢で、「起こる」に取って代わりつつあるようだ。（小）

せん。「素人《しろうと》っぽいかわいさ」とは言えても「素人くさいかわいさ」というのは少し変です。「っぽい」一つではこの違いも表せなくなります。また、「女のような男（＝男で、女のような容姿や性質の人）」と「女らしい女（＝女で、いかにも女らしい感じの人）」の区別もなくなり、「女っぽい男」も「女っぽい女」もまかり通ることになってしまいます。

さて、「っぽい」の使用はさらにどんどん広がって、ご質問にあるように活用語の終止形に付いたり、文そのものに付いたりする例が見られるようになっています。「俺は勘違いしてるっぽい」「ついに内臓がやられたっぽいよ」「今日はガンガン行くぞ〜っぽいスタートとなりました」「それ以上は飲まないほうがいいですよっぽいこと言われた」などなど、インターネットのサイトには斬新な「っぽい」の使われ方が数多く見られます。最近では「っぽい」ほど普及してはいませんが、「間違えてるくさい」や「忘れてたくさい」といった表現も使われ始めています。

使うのはどっち？ 60

「冷えづらい」vs.「冷えにくい」、どっち？

「〜にくい」は、意図的・非意図的のいずれの動きにも使えるが、「〜づらい」は意図的な動作に限られる。したがって、「この製氷器は冷えにくい」とは言えても、「この製氷器は冷えづらい」とは言わない。また、「〜づらい」は、より主観的で精神的な困難さに傾くのに対して、「〜にくい」は、客観的な理由による困難さについても表せる。「入りづらい大学」というと、何か個人的事情でもあって、精神的な圧迫感がありそうだが、「入りにくい大以上のような「っぽい」や「くさい」は、一種の言葉遊び感覚で使われているのでしょう。普通は使わない言い方で使う楽しさや新しさを感じているのかもしれません。仲間内だけで通用する言い回しとして互いの親近感を呼び起こす効果もあるようです。しかし、この種の表現に慣れきってしまうと、日本語の持つ豊かな表現力を失って、言葉がどんどん貧相になる危険を感じます。「っぽい」一つで何でも言える便利さは言葉の微妙なニュアンスを表現し分ける醍醐味《だいごみ》を犠牲にしているということを忘れてはならないと思います。

（砂川有里子）

学」は、個人的事情の場合でも、単に倍率の高い場合にも言える。
（矢）

ポイント

●「間違ってるっぽい」など「っぽい」が活用語の終止形に付いているもの、名詞的なものに付いていても「白熱灯っぽい」「馬鹿っぽい」など従来使われていないものは、俗語・若者言葉という印象を与えるため、改まった場では使わないほうが好ましいでしょう。

「〜のような」「〜らしい」「〜めいた」「〜くさい」などの表現の使い分けをせず、なんでも「っぽい」で間に合わせると、意味の違い、微妙なニュアンスを伝えられない場合があります。

【チョービミョー！マジ○○っぽい】

すいません／すみません

[質問]　「すみません」と言うところを、生徒らはみな「すいません」と言っていますが、直させるべきでしょうか。

[答え]　「すみません」と言うか「すいません」と言うかは、年代差が最も大きくかかわっているのではないかと思います。自分は「すいません」などとは決して言わないという人は、おそらくある程度年配の方でしょう。逆に若年層では、「すいません」としか言わないという人が多いのではないでしょうか。

「すみません」は、語源から言えば、動詞「済む」の連用形「すみ」に「ません（丁寧の「ます」＋打消の「ん」）」が付いたものが慣用化されて挨拶ことばになったものですから、「すみません」が本来の形であることは言うまでもありません。また、

使うのはどっち？ 61

「完成させよ」には二つの意味がある。これほんと？

「完成する」には自動詞と他動詞がある。「プログラムが完成した」は自動詞、「プログラムを完成した」は他動詞の例。後者の意味は「プログラムを完成させた」でも表せる。こちらは自動詞「完成する」に使役の助動詞「せる」を付けたもので、「完成**させよ**」はその命令形。他動詞「完成する」の命令形「完成**せよ**」と同じ意味で、「プログラムを完成させよ」も「プログラムを完成せよ」も、相手にプログラムの完成を

音便《おんびん》といって、発音しやすいように語中・語尾の音が他の音に変化する現象がありますが、動詞「すむ」は、「ます」に続くときは「すみます」「すみました」などとなり、音便にはならないので、「すいません」は音便形ということにもなりません。

それでは、この「すいません」はどのような性質のものでしょうか。これは、「すみません」が挨拶ことばとして一語的に使われるところから、一種の転化形、要するに訛《なま》った言い方として使われ出し、それが広まったものということになります。「さようなら」が「さよなら」「さいなら」となったり、「こんにちは」が「こんちは」となったりするのと同様です。

「どうもすいません」と言えば、かつての林家三平師匠の口癖を思い出す人も多いことでしょう。東京下町などでは、「すいません」の語形が早くから行われていたようです。関西では「すんません」「すんまへん」となるように、方言の言い方はさまざまで、この「すいません」も、方言の言い方がだんだんと広い地域で使われるようになったものかもしれません。


命じる意を表す。ところで、他動詞「完成する」を使役化した「完成させる」の命令形も「完成させよ」となり、自動詞を用いた「完成させよ」と形の上では変わらない。しかし、こちらのほうは「彼にプログラムを完成させよ」のように、相手ではなく別の誰かに完成を命じる意となる。（砂）

私自身の場合はどうか、内省してみますと、日常の話しことばの中では、「すいません」という言い方をあまり抵抗無く使っているように思います。しかし、文章に書く場合には、当然「すみません」と書くでしょう。

生徒がもっぱら「すいません」を使っているとすれば、それをいちいち「すみません」に直させるというのも難しいところでしょう。むしろ、話しことばで「持ってるんだ」と言っていても、書きことばでは「持っているのだ」と書くのがふさわしいというように、話しことばと書きことばとの相違を意識させ、改まった文章では、正しく「すみません」と使えるようにするというあたりがよいのではないでしょうか。

（小林賢次）

ポイント

●「すいません」は「すみません」の訛《なま》った言い方で、現在は広く使われていますが、改まった文章などでは正しく「すみません」と書くことが必要です。

【すいません/すみません】

すいません
タバコすって いいですか？
すわないんだったら すうな
すいません…

すみません アレください
タダでは すみません
525円に なります
にっこり

見れる／見られる

［質問］「見れる」「起きれる」などのら抜き言葉は、もはや認めてもよいのでしょうか。

［答え］「ら抜き」が問題とされるようになったのは、かなり前のことで、「もはや認めてもよいのではないか」と思っている人も多いのではないかと思います。話す言葉の中にも書かれた言葉の中にも、ほんとによく出てきます。

編集部にアンケート調査をやってもらいましたら（全回答数一三四）、まず、「ら抜き」の使われる割合は動詞によって違いがあるということが分かりました。「来る」「見る」「着る」「寝る」など短い音節のものには「ら抜き」が多く使われ、「信じる」「離れる」など長いものではほとんど使われないというこ

使うのはどっち？ 62

「複雑{極まる vs. 極まりない}」は、同じ意味？

複雑さが通常及ばないところまで及んだことが「複雑極《きわ》まる」。「極まりない」は「極まる」の否定ではなく、限界（極まり）が想定できないこと。限界のない「極まりない」のほうが限界まで行った「極まる」より程度が激しそうだが、ともに通常を逸脱している点で同じ。「滅相《めっそう》なこと／滅相もないこと」の「滅相」も現世の行き着くところで、ともに常軌を逸した、法外な様を表す。（矢）

	来れる	来られる	見れる	見られる	信じれる	信じられる
10代	54.5%	45.5%	72.7%	27.3%	9.1%	90.9%
20代	41.7%	58.3%	41.7%	58.3%	4.3%	95.7%
30代	29.0%	67.7%	38.7%	61.3%	0%	100%
40代	45.5%	54.5%	31.8%	68.2%	0%	100%
50代	28.6%	71.4%	19.0%	81.0%	0%	100%
60代	100%	0%	33.3%	66.7%	0%	100%

▼人のら抜きが気になるかどうか

	気になる			気にならない
	気になる	たまに気になる	合計	
10代	18.2%	18.2%	36.4%	63.6%
20代	37.5%	41.7%	79.2%	16.7%
30代	35.5%	38.7%	74.2%	25.8%
40代	25.0%	54.5%	79.5%	20.5%
50代	38.1%	47.6%	85.7%	14.3%
60代	0%	100%	100%	0%

▼自分でら抜きを気にするかどうか

	気にする			気にしない
	気にする	たまに気にする	合計	
10代	9.1%	45.4%	54.5%	36.4%
20代	45.8%	41.6%	87.5%	12.5%
30代	35.5%	45.1%	80.6%	19.4%
40代	36.4%	40.9%	77.3%	20.5%
50代	33.3%	47.6%	81.0%	19.0%
60代	0%	100%	100%	0%

［回答者数］ 134人（10代＝11人　20代＝24人　30代＝31人　40代＝44人　50代＝21人　60代＝３人）

表（上）：「見る」「来る」「信じる」「離れる」などの語について、「ベランダから花火が｛見られる・見れる・見れれる｝」などの三択でアンケートを行ったものをもとに、本来の語形（見られる）または「ら抜き」（見れる）を選んだ人の割合を抜粋。

表(中／下)：人のら抜き／自分のら抜きについて、「気になる／気にする」「たまに気になる／たまに気にする」「気にならない／気にしない」「ら抜きを知らないのでどちらとも言えない」の四択でアンケートを行ったものから、「どちらとも言えない」以外の三つを選んだ人の割合を抜粋。「合計」の欄は、「気になる（気にする)」または「たまに気になる（たまに気にする)」を選んだ人の割合。

とです。

　年齢別に見ますと、やはり若い世代の人が「ら抜き」をよく使っているようです。ただ、アンケートの結果では、若い世代でも、一〇代が特に「ら抜き」を多用し、二〇代以上とは大きな段差が認められます。最も対照的なのが「見れる／見られる」で、一〇代では七割が「見れる」を使うのに対して、五〇代では八割が「見られる」を使うと回答しています。

　地域による偏りがあるのかどうか、一五歳まで住んでいた場所、現在の住所の両方で調べてみましたが、はっきりとした傾向は見られませんでした。ある地方の方言から広まったということは、今回の調査からは言えないようです。

「ら抜き」に対してどう思っているか。「人の使う〝ら抜き〟が気になる」と答えた人は全体の三〇・六％で、「たまに気になる」と合わせると、七六・一％の人が気になっているということです。また、「自分の言葉遣いで、〝ら抜き〟を気にする」と答えた人は三四・三％で、「たまに気にする」と合わせると、

使うのはどっち？ 63

「複雑{極まりないvs.極まらない}」は、どう違う？


「極まらない」は「極まる」の否定の形。「複雑極まらない」だと、複雑さがまだ行き着くところまで行っていないことになる。「不愉快なこと極まらない」「迷惑極まらない話」なども同様で、非常に不愉快だ、迷惑な話だ、ということを言いたいのなら、「不愉快なこと極まりない」「迷惑極まりない話」が正しい。

(矢)

七九・一％、約八割の人が気にしているということです。

ここでも興味深いことは、一〇代の人では、「人の使う〝ら抜き〟が気になる」「たまに気になる」合わせて三六・四％、「自分の言葉遣いで、〝ら抜き〟を気にする」「たまに気にする」合わせて五四・五％と、極端に少なくなることです。二〇代以上の人では、ほぼ八割以上ですから、この落差は注目に値します。その一〇代でも、五割以上（五四・五％）の人が自分の言葉遣いでは気にしているというのですから、まだ、ら抜き言葉の使用には自制が働いていると見てよいようです。

しかし、意識していることと現実の言葉遣いは別で、実際にはかなり「ら抜き」が氾濫《はんらん》しているようです。テレビ・ラジオで、タレントやアナウンサー、有名人などが使っているのが気になるという意見がとてもたくさん寄せられています。テレビ・ラジオのような公共の場でさえという気持ちでしょう。私的な場面ではもっと多用されていると推測されます。話し言葉の世界だけではありません。書き言葉の中にもたくさん出てき

使うのはどっち？ 64

「ベートーベン」「ヴェートーベン」、正しいのはどれ？

「外来語の表記」によれば、「ｖ」音は、①一般的な表記としては、バ・ビ・ブ・ベ・ボで表すが、②原音や原《げん》綴《つづ》りに近づけたいときは、ヴァ・ヴィ・ヴ・ヴェ・ヴォで表す。Beethoven の場合、①に従えば「ベートーベン」、②に従えば「ベートー**ヴェ**ン」となる。したがって、一般には「ベートーベン」と書く。ヴァ行音をバ行で書き表すことは認められるが、逆に、バ行音をヴァ行で書くことは誤りとされるので、

ます。インターネットで、「見れる」「起きれる」「出れる」などを検索すると、たくさんの用例が出てきます。

「ら抜き」は、本来的にはもちろん正しい言い方でありませんし、薦められる言い方でもありません。しかし、よく使われていることは認めざるを得ません。中学校のある国語教科書には、〝「見れる」「出れる」という言い方は一般的とはいえない。〟と説明されています。教科書にこのように取り上げられているということは、一般的な言い方とは言えないが、現実は言及せずに放置しておけない状況にあるということでしょう。

ところで、ら抜き言葉は、どうして使われるようになったのでしょう。五段活用の動詞は、これを下一段に活用させて「～することができる」という意味を表す可能動詞を作ることができます。

書く→書ける　　読む→読める　　話す→話せる

しかし、「見る」(上一段)、「出る」(下一段)、「来る」(カ変)「信ずる」(サ変)などは、下一段に活用させて可能動詞を作る

「ヴェートーベン」は誤り。「ヴェルリン(Berlin)」「デヴュー(début)」なども誤りとなる。(鳥)

ことはできません。これらの動詞の場合には、可能（・受け身・自発・尊敬）の意味を添える助動詞「られる」を付けて、可能の意味を表します。

見られる　出られる　来られる　信じられる

これらの「ら」を抜いて、

見れる　出れる　来れる　信じれる

としたのが、「ら抜き」です。五段動詞から作られる下一段の可能動詞が、「(書)ける」「(読)める」「(話)せる」など「〜エる」の形になることへの類推があったと思われます。特に、「取る」「回る」「代わる」「断る」などの五段動詞は、下一段の可能動詞にすると、

取れる　回れる　代われる　断れる

のように、「〜れる」の形になりますが、これらは、「ら抜き」の「見れる」「出れる」「来れる」などに形が似ています。五段「切る」と上一段「着る」、五段「練る」と下一段「寝る」などでは、「切る」「練る」が「切れる」「練れる」と言えるのだか

使うのはどっち？ 65

「セルバンテス」vs.「セルヴァンテス」、どっち？

スペインの文学者Cervantes。つづり字を見るとvaとある。ならば、そのカタカナ表記は「セルヴァンテス」となるかというと、これは誤り。スペイン語のvは、[b]に発音するもので、そのカタカナはバ行音で表される（スパニッシュv）。よって、「セルバンテス」が正解となる。スペインの画家であるベラスケスなども「ヴェラスケス」とはできない。ここにもバ行音をヴァ行で書くのは誤りとする原則が働いている。（鳥）

ら、同じ語形の「着る」「寝る」も「着られる」「寝られる」でなく、「着れる」「寝れる」でよいのではないかということになります。そういう論理で、「ら抜き」は生じ、広がったのではないかと推測されます。「ら抜き」が可能の意味しか表さないのも、こういう経緯によるものだからでしょう。

最近では、「見られる」「出られる」「来られる」よりも、「ら抜き」の「見れる」「出れる」「来れる」のほうが、「ら」がない分言いやすいという人もいます。可能の助動詞「れる」と「られる」を使い分ける必要がなくなるのだからよいことだと「ら抜き」を肯定的に捉える人もいます。しかし、まだ、気になる人、気にする人も、多いのですから、なるべく使わないようにするのが賢明でしょう。

（北原保雄）

ポイント

ら抜き言葉は実際には多く使われている表現ですが、まだ、気になる人、気にする人も多く、なるべく使わないのが賢明です。

立ちあげる

【質問】「立ちあげる」という言葉は昔はなかったと思いますが、どうしてこんな言い方をするようになったのでしょうか。

【答え】「立ちあげる」という言い方は、比較的最近出てきた言い方で、機械を起動させたり、組織を作って活動を開始させたりする意味を表します。『岩波国語辞典』の第三版には、「立ちあげる」という言葉はなく、第四版には掲出されていますので、一九八〇年代の後半には、広く用いられていたことが知られます。「start up」を表すワープロ専用機やコンピューターの用語として広まったと言われており、日本初のワープロ専用機が作られたのが一九七〇年代末で、ワープロ専用機やコンピューターが一般にも用いられるようになったのは、八〇年

使うのはどっち？ 66

「薬缶」VS.「薬罐《やかん》」、どっち？

辞書には、「薬缶」しか掲げないもの、「薬缶・薬罐」の順に掲げるもの、「薬罐・薬缶」の順に掲げるもの、「薬罐」しか掲げないものもあって、その扱いはさまざまだ。かつて「缶詰・罐詰」は両用されたが、「薬缶」と書くことはなかった。「缶（ほとぎ。酒などを入れた、胴のふくらんだ素焼きの器）」と「罐（ボイラー）」は本来別字だが、常用漢字表が「罐」を「缶」の旧字体と認定して以来、新しい「薬缶」の表記が生まれた。新聞では「薬缶」と書くが、『明

代に入ってからのことですから、一〇年ほどの間に爆発的にこの言葉が普及したことがわかります。

　この言葉が不自然に感じられるのは、日本語の複合動詞（二つの動詞が合わさってできた動詞）では、自動詞と自動詞、他動詞と他動詞の組み合わせが多く、「立ちあげる（＝「立つ」の連用形＋あげる）」のように、自動詞に他動詞が付いたものが少ないからです。ただし、この組み合わせが絶対にないとか、文法的に誤りだというわけではなく、「～あげる」でも、「吹きあげる」のように、「（風が）吹く」という自動詞に「～あげる」が付いたものがありますし、「～始める」や「～続ける」のように、動きの進み方を表す他動詞は、「夜が明け始める」「座り続ける」のように、自動詞にも付きます。

　では、なぜ、「立ちあげる」は広く用いられるようになったのでしょうか。

　コンピューター用語の「start up」は、機械が動き出すことを表す自動詞としても、機械を動かし始めることを表す他動詞

鏡』では過去の伝統も考慮に入れて、「薬罐」を優先させている。（鳥）

としても使われます。日本語では、自動詞のほうは「立ちあがる」という言葉がありますが、他動詞は、機械を起動させることを「立てる」とは言わないため、「立てあげる」という複合動詞は作れません。「立ちあがらせる」のように使役で表します。「立ちあがらせる」はいかにも長ったらしく、名詞形の「立ちあがらせ」も落ち着きません。

　ある場所に実際に立つ意味での「立ちあがる」は、いまでも「子供を立ちあげる」とは言わず、「子供を立ちあがらせる」と言いますが、この場合の「立ちあがる」の「立ち」には、「起立」という具体的な意味が色濃くでていて、「〜あがる」のほうも上への具体的な移動を表します。「立つ」「あがる」それぞれの語に分けても理解できるので、これを「立ちあげる」にしようとしても、「立つ＋あげる」の自動詞＋他動詞の表現だと明確に意識され、避けられてしまうのです。

　これに対し、運動の開始を表す「立つ」は、現在では「立つ」単独では用いられません。「〜あがる」も、意味が抽象的

使うのはどっち？ 67

「藝術《げいじゅつ》」vs.「芸術」、どっち？

常用漢字表によれば、「藝」は「芸」の旧字体*（＝いわゆる康熙《*こうき》字典体）であるが、これらは本来別字。「芸（ウン）」は書物の虫よけに使った香草の名で、「藝（ゲイ）」がわざの意。文学では本来的な「藝」も好まれるが、現在は、「芸」に「藝」の意味を持たせて、「芸術」「文芸」などと使うのが一般的。本来の「芸」には、「芸亭（＝古い図書館の名）」があるが、これは「ウンテイ」。「ゲイテイ」と読むと誤りになる。（鳥）

*旧字体＝当用漢字表（昭和二二

になっており、何が「あがる」のかよくわからなくなっています。機械が「立ちあがる」は、「立ち」も「あがる」も具体的な意味が希薄で、分けて解釈することは難しく、「立ちあがる」全体で「起動する」という意味だと解釈するほかないのです。全体で一つの自動詞と見なされやすかったことから、これを「立ちあげる」としても、自動詞＋他動詞の表現だとあまり意識されないで、「立ちあがる／立ちあげる」というペアが作りやすかったのです。

（矢澤真人）

ポイント

機械の起動や組織の開始についていう「立ちあげる」は、自動詞「立つ」＋他動詞「あげる」と分けてとらえられないで、「立ちあげる」全体で一つの他動詞と見なされて、広く使われていると考えられます。

年告示、二四年字体表）で新しい字体が制定される以前に、正式とされていた、漢字の字体。

＊康熙字典＝中国で一八世紀に刊行された字典。

【立ちあげる】

プロジェクト立ち上げまーす
イケイケ
オオーー
ドンドン
無事終了で打ち上げ〜〜
ワーイ
ドンチャンドンチャン
スポンサー様持ち上げまーす
ワーー!
ヨイショ
ヨイショ
上げるってつかれる…
スペースシャトル打ち上げ5秒前
なあなあオレ思うんだけどさーー
へ?
「打ち上げ」って言葉おかしくね?
ハ?
4
3
正しくは「打たせ上げる」じゃねーの?
2
1
え…
そんなこと今さら言われても
発射!!
ドドドドドドド
とりあえず宇宙空間に上げるも下げるもなかった
あ

まじ

［質問］「まじ」という言葉が気になります。軽薄な感じを与える言葉ではないでしょうか。

［答え］「まじ」は、もともと、「まじめ」からきた言葉で、江戸時代の中頃から使われています。現在の話し言葉では、もっと意味が広くなり、「本気」や「本当」の意味を表すと言えそうです。もちろん、ふざけた話ではなく「まじな話」、片手間でなく「まじに仕事をやっている」のように、「まじめ」で置き換えられる用法はあります。しかし、「嘘《うそ》じゃないよ、あの子、まじに学校やめるって」は、「まじめ」ではなく、「本当に」でしょうし、「まじであいつ怒ってるよ」のような「〜で」の形のものは、「本気で」でしょう。また、「ぐれていたのにま

使うのはどっち？ 68

「坐禅《ざぜん》」VS.「座禅」、どっち？

「坐」は、すわる意、「座」は、すわる場所の意。本来はそれぞれ「正坐・坐禅・坐像」「座を外す・王座・星座」のように書き分けるが、常用漢字「座」に「すわる」の訓が加わった今は、「坐→座」とした「正座・座禅・座像」が一般的に通用している表記。しかし、「座→坐」とした「坐を外す・王坐・星坐」などは誤りになる。「坐」には、すわる場所の意がないからである。（鳥）

じになった」のようには使いません。

　さて、何について「まじ」なのかという点から見ると、「まじ」の用法は、四つに分けられます。一つは、行動が本気であったりまじめであったりする様子を表します。「彼、新しい仕事まじにやってるようだよ」の「まじに」で、仕事のやり方がふざけていたり片手間ではないことを表します。

　二つめは、質問や答えなどが正直であることを表す用法です。「正直な話」「本当のところ」のような、会話自体が冗談モードではなく、本気モードに入ることを宣言する言葉です。この用法では、「まじ」は文の最初のほうに出てきます。たとえば、「まじに、彼、新しい仕事ちゃんとやってるよ」という場合、仕事のやり方は「ちゃんと」で示され、「まじに」のほうは、自分の答えにいつわりがないことを表します。

　三つめは、「自分の評価が本当であると宣言できるほどの」という、際だった程度を表す用法です。自分の話を疑っている人に、「まじに、あの店のパフェすっげーでかいんだよ」とい

使うのはどっち？ 69

「濫獲《らんかく》」vs.「乱獲」、どっち？

新聞は「濫」を排して「乱」を使ってきたが、今やその影響は雑誌や文学などにも広く及んで、「乱」がだんだんと一般的な表記となってきている。「濫獲」のほかに、「濫作・濫発・濫伐《らんばつ》・濫費・濫用」などもそうだが、これらは「濫」に代えて「乱」を使うこともできる（乱作・乱発・乱伐・乱費・乱用）。「濫」は、みだりに、の意だから、本来は「濫」が正しい（常用漢字表でも「濫伐・濫費・濫用」）が、「乱」も平易な表記として以前から使われていた。（鳥）

う場合の「まじに」は、自分の話が本当であることを表す二番目の用法ですが、「いや、ほんと、あの店のパフェまじにでかいよ」という場合の「まじに」は、「でかい」状態が並大抵でないことを表します。この用法では、「まじに」は、「とても」などの副詞と同様に、状態を表す言葉の直前におかれます。

関西方言で「ほんま、しんどいですわ」などと言いますが、この「ほんま」の後にポーズをおくと、「本当のところを言うと」という会話の態度と解釈できます。一方、「ほんま」と「しんどい」とを続けて言うと、しんどさが並大抵でないという程度を表します。同様に、「あの店のパフェ、まじに、でかい」も、「まじに」の後でポーズをおくか、「まじにでかい」と続けて言うかで、話し方の態度か程度か、解釈が変わってきます。

四つめは、「まじ切《ぎ》れするなよ」の「まじ切れ」や、「英語の単位、まじやば」の「まじやば」のような接頭語的な用法です。これは、先の三つの用法をもとに作られます。「大きく揺れる→大揺れ」「ごく細い→極細」などと同じ手順による派生です。

使うのはどっち？ 70

「欲望」VS.「慾望《よくぼう》」、どっち？

「食慾→食欲」「愛慾→愛欲」などは、*「同音の漢字による書きかえ」によるもので、本来は「慾」と書いた。したがって、現在は「欲」が標準的な書き方だが、「慾」も間違いではない。だからといって、現在「欲」と書くものはすべて「慾」と書いても間違いでない、ということではない。「欲求→慾求」「欲望→慾望」「欲念→慾念」などを「慾」と書くと誤りになる。「欲」は、ほしがる意。「慾」は、ほしいと思う気持ちの意。(鳥)

先に「ほんま、しんどいわ」という例を出しましたが、一般的な会話でも、「正直言って」「本当のところ」など、自分の会話にいつわりのないことを示す表現はよく見かけます。若い人たちの「まじ」という言葉は、最後の用法をのぞいて、関西方言の「ほんま」や関東方言の「ほんと」とほぼ同じ使われ方をします。用法的には変わらないとしたら、若い人の「まじ」が目立つのは、単に年配者に聞き慣れなくて、印象に残るからなのでしょうか。若い人が多様な表現法を知らないために、すべて「まじ」ですませてしまうからなのでしょうか。それとも、いちいち、「まじ」で宣言しないと本当の話ができないほど、本気モードから離れた、流す会話が多いのでしょうか。ともかく、あまり抵抗感なく使われているようです。

（矢澤真人）

＊「同音の漢字による書きかえ」＝当用漢字表にない漢字を含む漢語を、当用漢字表にある同音の別の漢字に書きかえたもの。昭和三一年に国語審議会が文部大臣あてに報告。

＊当用漢字表＝現代国語を書きあらわすために日常使用する漢字の範囲として定められたもの。昭和二一年内閣告示。昭和五六年、常用漢字表制定とともに廃止。

ポイント！

●「まじ」は年配の人には耳障りな、感じのよくない言葉ですが、用法としては、「ほんま」「ほんと」と同じように、かなり広く使われています。

故障中

［質問］　「故障中」という表現に違和感があります。「中《ちゅう》」は、どんな語にも付けてよいのでしょうか。

［答え］　「〜中」という表現は多くの場合「する」を付けると動詞になる「読書」「研究」などの名詞に付いて、「そうする間」や「その最中」という意味を表します。「〜中」という表現が表す意味には、①「その動きが継続している間」と、②「その動きや変化が終わった結果の状態が継続している間」という意味があります。

①の例としては「会議中」「授業中」「練習中」「食事中」など、②の例としては「停泊中」「婚約中」「帰省中」「入院中」などが挙げられます。これらの例はいずれも人間の意志的な行

使うのはどっち？　71

「唇《くちびる》」vs.「脣《くちびる》」、どっち？

「くちびる」は、辞書では、「唇・脣」のように二つの表記形を掲げるものが多い。「唇」が常用漢字で、これが新聞・雑誌・教科書などで広く行われる。本来は、「唇」はふるえる意で、「脣」がクチビルの意。井上靖・大江健三郎など、「脣」にこだわる作家は多い。極めてまれだが、文学では「吻」「口びる」と書く場合もある。（鳥）

為を表しています。典型的な「～中」はこのように〈意志的な行為〉を表す語に付くのです。しかし、典型から外れれば意志的な行為を表すものでも言えない場合がありますし（「結婚中」「出発中」）、意志的な行為を表さないものでも言える場合があります（「渋滞中」「存命中」）ので、それほど単純ではありません。また「入院中」と言えるのに「退院中」とは言えない、「婚約中」と言えるのに「結婚中」とは言えないなどの不均衡も見られます。

　こういった問題を説明するには〈継続〉という意味を考えてみる必要があります。ある動きや状態が「継続している間」ということを考える場合、それらの動きが継続を始める時と継続を終える時という二つの時を考えることが可能です。たとえば「入院中」には入院する時と退院する時の二つの時が想定できますが、その二つの時の間を表しているのが「入院中」という表現です。「婚約中」というのは、婚約が成立する時と結婚によってその状態が終わる時までの間を表します。「発見中」「到

使うのはどっち？ 72

「銓衡《せんこう》」VS.「選考」、どっち？

「同音の漢字による書きかえ」によれば、「銓衡」は「選考」で書きかえることになっている。「銓衡」の「銓」も「衡」も、はかる意で、全体で、当否、適不適などを（はかりにかけて）審査する意となる。「選考」は、選び考える意で、「銓-選」「衡-考」には意味として釣り合っていないところがあるが、熟語全体の意味は近い。広く一般に「書類選考」「芥川賞選考委員会」などと使う。（鳥）

着中」「出発中」などが言えないのは、これらの語が瞬間的な行為を表すものであるため、始まる時と終わる時の間を想定できないことが原因です。

このように、始まる時と終わる時の間を想定できるかどうかということが、「〜中」が使えるかどうかを決める決定的な鍵となってきます。「退院中」がおかしいのは、退院のあとにその状態が終結する(つまり再度入院する)ことを普通は想定しないため、退院開始と退院終了の間が想定できないからです。また「結婚中」がおかしいのも、その状態が終わる時のことなど考えないのが普通だからです。

一方、「(気温が)上昇中」「渋滞中」など、意志的な行為ではないのに「〜中」が可能な場合は、動きや状態の終わる時を想定することが容易だからでしょう。それに対して「自転中」や「枯渇中」「荒廃中」「汚染中」などは終わる時が考えにくいためにおかしく感じられます。「故障中」という言い方は、認める人と認めない人に分かれるようですが、修理をして故障状態

使うのはどっち? 73

「雇用」VS.「雇傭《こよう》」、どっち?

「雇傭→雇用」も「同音の漢字による書きかえ」が掲げる語である。「雇傭」の「傭」はやとう意だが、「雇用」の「用」は用いる意。意味がずれることを理由に、「雇用」を標準的な表記として認めない辞書もあるが、全体の意は近い。「(被)雇用者」「雇用契約」「雇用保険」「男女雇用機会均等法」など、今ではすっかり日常生活の中で定着している。

(鳥)

が終わることはあり得てもそれがはっきりとは想定できないところに、このようなゆれが生じるのではないかと思われます。よく貼《は》り紙に「故障中」とあるのを見かけますが、このような場合、単に「故障」と書くだけで十分に通じるでしょう。

以上でおおよその説明はできましたが、これでもまだ十分だとは言えません。なぜなら、「会議中」は言えるのに「会話中」は少し変だと感じるとか、「凍結中」は自然で「氷結中」は変だと感じる人がいるなどの説明にはなっていないからです。

このあたりの問題は、おそらく意味変化の過程での不均衡の現れではないかと思います。つまり、もともとは意志的な行為を表す名詞にしか付かなかった「〜中」がそれ以外のものにも付くようになり、その勢力範囲を拡大してきているのでしょうが、その変化がある時一斉にすべての語を対象として実現したというのではなく、時間をかけてゆっくりと少しずつ変化してきているため、変化の過程の中で語によるバラツキが生じているのです。「考案中」「考慮中」「思案中」「思索中」などは言え

使うのはどっち？ 74

「彼って、{いい人そう vs. 人がよさそう}じゃないですか」、どっち？

「そう」は、様態の助動詞「そうだ」で、本来は「賛成しそうだ」「悲し［元気］そうだ」のように、動詞の連用形や形容(動)詞の語幹*に付く。「人がよさそう」は、形容詞「よい」の語幹に付いたもので、これが本来の使い方。「いい人そう」は、それが名詞に付いたもので、最近若い人たちの間に見られる言い方。「うち解ける人そうではない」「悪い人そうじゃない」などのようにも使われている。外見からの性質や状態をいう点では、これらの「そう」

ても「配慮中」「憂慮中」「心配中」などはおかしいと感じる人が多いのは、知的な活動には使えるようになったけれど、感情的な心の動きにはまだ使えるようになっていないことの現れです。「凍結中」がよくて「氷結中」がおかしいと感じる人がいるのも変化の過程でのバラツキだろうと思います。

このように、「〜中」と言えるかどうかは判断の難しいところがありますが、始まる時と終わる時の間を想定できるかどうかをまずは目安にするということになります。

さて、これまで漢語の名詞ばかりを扱ってきましたが、和語の場合、単独の語に付く例は「話し中」「休み中」などごく少数です（複合語である「売り出し中」「出稼ぎ中」などは可能です）。しかもこの場合、特定の用い方に限られているようで、「田中さんの休み中に」とは言えても「田中さんは休み中だ」とは言えません。

ところが最近では、「今ストーリーを考え中です」「旦那の態度にむかつき中」「買うか買わぬか迷い中」「今仕事終わって帰

は本来の意味を表しているが、何とも奇妙な日本語だ。（鳥）

＊語幹＝活用語の中の変化しない部分。

り中」など、単独の和語に「中」を付ける例が数多く見られるようになりました。携帯メールでのやりとりなどで、素早く入力するために短い表現が好まれるようになったことが原因の一つだと思いますが、このような表現はメールだけでなく話し言葉の領域にも侵入し、若い人たちの間で広く使われるようになってきているのです。不自然さ、物珍しさを面白いと感じる遊び心で使われているのでしょうが、使用には注意が必要です。

（砂川有里子）

ポイント

●「中」を付けられるかどうかは、〈継続〉としてとらえられる（始まる時と終わる時の間を想定できる）ということが目安になります。

意志的
〈継続〉としてとらえられる――○会議中・入院中
〈継続〉としてとらえられない――×出発中・退院中

非意志的
〈継続〉としてとらえられる――○渋滞中・存命中
〈継続〉としてとらえられない――×自転中・枯渇中

ただし、「故障中」「心配中」のように、条件を満たしているか判断の微妙なもの、「会話中」のように、満たしていても「中」を付けると不自然なものもあります。

「迷い中」「帰り中」など単独の和語に「中」を付ける用法は、一般化していないものが多く、使用には注意が必要です。

「〇〇中」

ありえる／ありうる

【質問】「成立の可能性は十分ありえる」などと言いますが、「ありえる」は「ありうる」が正しいのではないでしょうか。

【答え】　結論から言いますと、「ありえる」は現代の口語形、「ありうる」は文語形が残って使われているもので、どちらを使っても間違いではありません。

「ありえる」の「える（得る）」は、現代口語の活用でいうと、「え（ない）・え（ます）・える・える（とき）・えれ（ば）・えよ」となりますが、実際の使用例を見ると未然形の「え（ない）」と終止形・連体形の「える」が圧倒的に多く使われています。一方、「ありうる」の「うる（得る）」は、もともと文語形（古典語）の「う（得）」で、その活用は、「え（ず）・え（た

使うのはどっち？ 75

「生蕎麦（なまそばvs.きそば）」、どっち？

そば屋の看板などにある「生そば」は、「きそば」と読む。本来は混ぜもののない、そば粉だけで打ったそばの意だが、一般にはつなぎに少量の小麦粉などを使ったものも含めていう。「なまそば」は、干したそば（乾麺《かんめん》）に対して、生のまま干していないものをいう。干したそばが製造・販売されるようになった近代の造語で、言うまでもなく「きそば」とは別語。（小）

り）・う・うる（とき）・うれ（ば）・えよ」となります。

この「う」から「える」への変化は、日本語の動詞の変遷という大きな流れに沿ったものです。まず、古典語では、終止形は「う」、連体形は「うる」で、こうした二段活用の動詞などでは、終止形と連体形とは明確に語形が区別されていましたが、平安時代の終わりごろから、連体形終止法と呼ばれる現象が一般化し、次第に連体形が終止形に取って代わって使われるようになりました（ラ行変格活用〈ラ変〉の「あり」の場合、終止形「あり」、連体形「ある」だったものが、終止形・連体形ともに「ある」になるなどの変化です）。現在、古典語の活用が残っているとはいっても、終止形が「ありう」ではなく、「ありうる」の形で使われているのは、こうした変化を反映したものです。

また、江戸時代にはいるころから、二段活用の一段化と呼ばれる変化が生じはじめました。「落ち（ず）」「落つる」のように動詞の活用がiとuの二段にわたる上二段活用のもの、「受け（ず）」「受くる」のようにeとuの二段にわたる下二段活用

使うのはどっち？ 76

「大地震（だいじしんvs.おおじしん）」、どっち？

「じしん（地震）」のような音読みの語（漢語）の上に「大」を付ける場合、音読みで「だい」となるのが原則だが、例外も多い。「大喧嘩《げんか》」「大掃除」「大騒動」「大判《ばん》」などは「おお」となる。「おおじしん」と「だいじしん」は、どちらも使われ、ゆれている状態。NHKでは、「大地震」と書かれたものは「おおじしん」と読む方針だという。（小）

のものが、「落ち（ない）・落ち（ます）・落ちる……」というiで統一する上一段活用、「受け（ない）・受け（ます）・受ける……」というeで統一する下一段活用に、それぞれ変化したのです。地域差があり、たとえば九州では現在でも「落つる」「受くる」という二段形が残っている地域のあることが知られていますが、全体としては、二段活用から一段活用へという一つの流れがあり、「うる」から「える」への変化もこれに従っています。

この「うる」が他の動詞の下に付いた用法としては、「ありうる」のほか、「……と見うる」「見なしうる」、あるいは「起こりうる」「考えうる」「しうる」など、さまざまな形で使われていますが、もともと漢文訓読文で好まれた言い方で、現在でも文語的で堅いニュアンスを伴うものとなっています。「ありうべからざること（＝あるはずのないこと）」などになると、まさに漢文訓読調の言い回しです。

ただし、当然、現代口語形の「ありえる」の形も使われるわ

使うのはどっち？ 77

「葦（あしvs.よし）」、どっち？

植物「葦」は、本来は「あし」。これが「悪《あ》し」に通じるのを忌《い》んで、「善《よ》し」を意味する「よし」に言いかえることが生じたもので、すでに中世のころから「よし（葦）」の例がある。こうした忌み言葉は、使い果たす意の「する（摺る）」を避けて「すり鉢」を「あたり鉢」、「するめ」を「あたりめ」と言いかえるなど、現代にも残る。（小）

けですから、現在は、「ありうる」と「ありえる」の二つの語形が共存している状態ということになります。インターネットで検索をしてみたところ、「ありうる」「ありえる」ともに多用されていますが、「ありうる」のほうがやや優勢という状況でした。現代共通語の動詞において文語形が優勢というのは、きわめて珍しいケースだと思います。

（小林賢次）

ポイント

●「ありえる」は現代の口語形、「ありうる」は昔の文語形が残って使われているもので、ともに間違いではありません。

会議が煮詰まる

［質問］「会議が煮詰まる」を、「行き詰まる」と同じような意味で使っている人がいますが、誤用ではないでしょうか。

［答え］最近では「会議が煮詰まり、気分転換に休憩を取った」のような言い方をよく耳にするようになりました。本来、「会議が煮詰まる」は、「会議の議論が大詰めを迎え、そろそろ結論の段階にきた」という意味を表しましたが、どうやらそれとは反対に、「議論が行き詰まって身動きが取れなくなる」という意味で用いられることが多くなってきているようです。

煮汁がぐつぐつと音を立てて煮えている状態から、水分が飛んでほどよく味がしみこんだ状態に変わるのが「煮詰まる」ということだったのですが、その一方で、すっかり水気がなくなっ

使うのはどっち？ 78

「思惑（しわく vs. おもわく）」、どっち？

上代（『万葉集』のころ）に、活用語の未然形に接尾語「く」が付いて名詞を作る語法があった。「思わく」もその一つで、「思ふ」の未然形「思は」に「く」が付いた「思はく」の現代語形。「曰く（＝言わく）」「恐らく」「願わく」「老いらく」なども同類。したがって、「おもわく」が正解で、表記も本来は「思わく」。「わく」を「惑」と書くのがそもそも意味のない当て字で、それを「しわく」と音で読むのは二重の誤り。（北）

て煮える動きが止まってしまった「膠着《こうちゃく》状態」を思い描くこともできるため、「行き詰まって身動きができなくなる」という解釈がなされるようになったのだろうと思います。しかし、「煮詰まる」という語を辞書で引くと、「煮えて水分がなくなる」「議論や検討が十分になされて、結論の出る段階になる」といった意味は挙げられていますが、「行き詰まって身動きが取れない」という意味まで挙げている辞書はほとんどありません。

小説を調べてみても、次のような「結論の出る段階になる」の例は見つかりますが、「行き詰まって身動きが取れない」というマイナスの意味の例はほとんど見あたりません。

・あとの一つも、解決は時間の問題というところまで煮つまっているから、いまさら君の力を借りる必要もないと思うな（高木彬光・検事霧島三郎）

・今現在、事件はかなり煮つまってきていましてね、決着がつくのは時間の問題かな、という状況なんだが（清水義範・DC殺人事件）

使うのはどっち？ 79

「願わくば」vs.「願わくは」、どっち？

「願わく」は、もともと「願ふ」の未然形に接尾語の「く」が付いて名詞になったもので、願うことの意。そこから「願わくは」を、願うことには、さらには、できることなら、の意味で使うようになった。これを「願わくば」とするのは誤用で、形容詞を仮定表現にする際、「善くは」を「善くば」というようになったことからの類推で生じたもの。（小）

・長州の陰謀がここまで煮つまっていては、一刻の猶予もならない（森村誠一・新選組）

ところが、インターネットのサイトでは形勢が完全に逆転し、マイナスの用法が圧倒的多数を占めています。

・なんだかめちゃめちゃ煮詰まっちゃって鬱《うつ》になりそう
・いろいろと煮詰まっちゃっていた時に息抜きに描いてみた
・考え過ぎて煮詰まっちゃってませんか
・煮詰まってそのままフリーズしかねない

若い人たちには「結論の出る段階になる」というプラスの意味よりも「行き詰まって身動きが取れない」というマイナスの意味のほうが自然だと感じる人が多いようです。プラスの意味では使わないというだけでなく、マイナスの意味のほうしか知らなかったという人もいるくらいです。次の例なども、プラスの解釈（＝推理がまとまり、結論に近づく）でなく、マイナスの解釈（＝推理が進まず、行き詰まってくる）で読みとろうとする人が少なくないのかもしれません。

使うのはどっち？ 80

「七人（しちにん vs. ななにん）」、どっち？

人数を数える言い方は、「二《に》人《にん》三脚」などの語もあるが、二人までは「ひとり」「ふたり」と和語でいうことが普通。三人からは音でいうことが多いが、四人は「死人」に通じることもあって「しにん」は避けられ「よにん」となる。七人の場合、音でいう「しちにん」が本来のものだが、現在は和語の「なな」を用いた「ななにん」も広まっている。「しち」と「いち」の聞き誤りを避ける配慮もあるようだ。「柔道七段」なども、「しちだん」が本来のものだだって、推理小説の中の名探偵って、全部そういうふうだろう。推理が煮つまってくると、何も言わなくなるじゃないか。読者がいらいらするくらいだよ。それでもって、ラストシーンで堂々と推理を披露するっていうやり方をとりたがる。（清水義範・H殺人事件）

マイナスの意味が一部での使用にとどまるのか、プラスの意味を駆逐《くちく》するまでになるのか、今は何とも言えませんが、しばらくは正反対の意味が併存し、話に食い違いが起こることもあるだろうと思います。本来は「議論などが十分になされて、結論の出る段階になる」の意味であることを踏まえ、「煮詰まる」の解釈には注意することが必要でしょう。（砂川有里子）

が、「ななだん」とも。（小）

ポイント!

「煮詰まる」は「議論などが十分になされて、結論の出る段階になる」というのが本来の意味ですが、「行き詰まって身動きが取れない」の意味でもかなり使われており、解釈には注意が必要です。

【煮詰まる】

ぐつ
ぐつ
ぐつ
ぐつ
ぐつ
ぐつ
ぐつ
ぐつ
ぐつ
ぐつ
ぐつ
ぐつ
ぐつ
ぐつ
とりあえず水分なしの長時間会議はキツイな
それが結論だな

【しちにん／ななにん】

七人の侍
ザッ…
！
おい…1人足りないぞ!!
えー？
あ、ホントだ……
どーすんだよ6人じゃ映画になんねーぞ
オレに言われても…
もう1人どしたの？
質人の侍…
質草は質草なのになんで人質は人質？
人質はだまっとれ

問題な日本語

【質問】「問題な日本語」の「な」の使い方は、どこがどう問題なのでしょうか。

【答え】「問題な日本語」という書名を決めるときには、いろいろ考えました。そして、最後に出てきたのが「問題の日本語」でした。「問題」は名詞で、これが名詞を修飾するときには「問題の」というように「の」を付けるのが普通だからです。ただ、これではいささかインパクトに欠けます。「問題な」とすれば、言語感覚の優れた人には違和感があり、目を留めてもらえるのではないかと考え、「な」に変えたのです。ただ、「な」の文字を、前に傾け、色を変えて、意識的に変えていることを示しました。

使うのはどっち？ 81

「茶葉（ちゃばvs.ちゃよう）」、どっち？

数年前ウーロン茶のCMで、「福建産茶葉使用」が「ちゃば」と読まれて以来、日本国中「ちゃば、ちゃば」である。一社を除いて業界も「ちゃば」、NHKも「ちゃば」、国立国語研究所「分類語彙《ごい》表（二〇〇四年）」も「ちゃば」。しかし、日本茶業技術協会編『茶の科学用語辞典』には、ちゃんと「ちょう」とあって、これが伝統的に正しい読み方だ。中国や台湾の「茶葉研究所」「茶葉精製所」など、組織を表す固有名詞をそして、「まえがき」にも、「表題とした「問題な」も味な使い方だと思うが、問題のある表現である。」と断っておいたのですが、中には、この本の書名自体が問題な日本語なのではないかと注意してこられた人もいました。ただ、この本が大勢の人に注目していただけたのは、書名によるところも大きかったのではないかと思っています。朝日新聞の「ことば談話室」にも取り上げていただきましたし、天野祐吉さんにはテレビの番組で過分なお褒めの言葉を頂戴しました。

もう一度繰り返しますと、「問題な日本語」は違和感のある表現であり、そこを狙った書名だったのですが、この言い方には問題がないか、あるとすれば、どこがどう問題なのか、ということです。

「の」が付くか「な」が付くかは、まず付く語によって違いがあります（実際にはかなりゆれがあり、微妙なところがあります）。

A 「の」だけが付く

都会の人　　ニュースの時間　　デパートの売り場

重箱読み*で「ちゃば」と読むわけにはいかない。（鳥）

＊重箱読み＝漢字の熟語で、上の字を音、下の字を訓で読む読み方。

B「な」だけが付く

曖昧《あいまい》な態度　単純な作業　派手な洋服
静かな午後　綺麗な海

C「の」も「な」も付く

ありがち の／な 話　底抜け の／な 明るさ
格別 の／な 事情　小柄 の／な 人
いろいろ の／な 問題　さまざま の／な 場合

Aの「都会」「ニュース」「デパート」などは名詞であり、実体を表しています。それに対して、Bの「曖昧」「単純」「派手」「静か」「綺麗」などは形容動詞の語幹で、「態度」「作業」「洋服」などの実体が備えている属性（性質や情態）を表しています。このように実体を表すものには「の」が付き、性質や情態を表すものには「な」が付くという使い分けがあるのです。

そしてCですが、「ありがち」「底抜け」「格別」「小柄」「いろいろ」「さまざま」などは、実体というよりは性質や情態の意味を持つものですから、Bと同じく、「な」が付くのは自然

使うのはどっち？ 82

「他人事（たにんごとvs.ひとごと）」、どっち？

「他人事」を「たにんごと」と読む人がふえているが、本来は「ひとごと」が正しい。国語辞書では、多く、「たにんごと」を俗用としている。「ひとごと」を「他人事」と書いたのは、明治の末あたりからで、それまではもっぱら「人事」だった（尾崎紅葉・泉鏡花など）。大正期に入ると、芥川・菊池・有島・里見弴《とん》・長与《ながよ》善郎《よしろう》などが好んで「他人事」と書くようになる。文学的な表記として登場した「他人事《ひと》」は、いささか難

です。その「話」が「ありがちな」属性を持っている、その「明るさ」が「底抜けな」属性を持っている、ということを表しているのです。

それでは、「の」が付くのはどうしてでしょうか。「の」には「である」と言い換えられるような用法があります。Cの場合もそれで、「ありがちである話」「底抜けである明るさ」という意味で、「の」が使われているのです。

「花の都」「涙の乾杯」「晴れの舞台」などという言い方がありますが、花に都があるわけでもなく、涙が乾杯するわけでもありません。「花」「涙」「晴れ」が〈華やか〉〈悲しい〉〈晴れやか〉という属性的な意味を表し、「の」が「である」の意味で使われているのです。

さて、問題の、「問題な日本語」はどうでしょうか。「問題」は名詞で、実体を表す語ですから、「問題の」のように「の」が付くことは問題ないでしょう。「問題の日本語」には、①〈問題として出されている。問題の中の〉〈例の。問題になって

読、ふりがななしでは「たにんごと」と読まれる運命にあったのかもしれない。(鳥)

いる〉という意味と、②〈問題のある。おかしい。変な〉という意味の二つがあります。②は属性的な意味ですが、Cに見たように、「の」が付くことも問題ないのです。

そういうことで、「問題の日本語」で十分間に合い、「な」にする必要はなく、したがって普通には使われませんから、この言い方には違和感があるということになるのです。ただ、「問題な」には、①の意味がなく、②の意味しかありませんから、意味が限定され、誤解されなくなるという利点があります。

「の」と「な」で、意味がまったく違ってくるものがあります。たとえば、「浮気の相手」と「浮気な相手」です。前者は〈自分の浮気の相手〉という意味であり、後者は〈浮気っぽい相手。相手が浮気である〉という意味です。「やくざの商売」「やくざな商売」という対もあります。前者は〈やくざのやっている商売〉という意味、後者は〈いい加減で役に立たない商売〉という意味です。いずれの場合も、「の」は実体を表すものに付き、「な」は属性を表すものに付いているという違いです。

使うのはどっち？ 83

「ひとごと」の書き方は、「他人事・人事・ひと事・人ごと・ひとごと」のどれ？

「人事」は「じんじ」と紛れやすい。「他人事」における「他人《ひと》」は、熟字訓*で、やや難読である。その部分をかなにした「ひと事」は、「事」に多少の違和感が残る。「人ごと」「ひとごと」が穏当な書き方だろう。ちなみに、ある新聞では「人ごと・ひとごと」と書くとりきめになっている。（鳥）

*熟字訓＝二字以上からなる漢字

本来は実体を表す名詞で「の」が付いていたものに「な」が付いて属性を表すようになったものは、「現金な」「罪な」「乙《おつ》な」など、以前からたくさんあります。前書の「まえがき」に、「表題とした「問題な」も味な使い方だと思うが」と書いた「味な」もその一つです。しかし、最近は「な」の多用が度を越しているようです。他人のことは言えませんが、『伊勢丹な人々』（川島蓉子・日本経済新聞社）という本がベストセラーになっています。「ニュースな人」はかなり以前からですが、「キャリアな女性」「ホステスな感じ」「パンクな人生」「タイプな男」などのカタカナ語が増えているのはどんどん生産されている証拠になるでしょう。「田舎な群馬県」「神戸な人」、さらには「江川な人」「えなりなタイプ」というような言い方もされているそうです。村木新次郎さんの「『神戸な人』という言い方とその周辺」（中村明ほか編『表現と文体』・明治書院）という論文には、こういう新しい例がたくさん載っています。

（北原保雄）

の列の意味をくみ取って、まとめて訓にして読んだもの。

ポイント

「問題な日本語」の「問題」は、属性的な意味を表しています。属性的な意味に「の」が付くことは問題なく、したがって、「問題の日本語」という表現で間に合います。「問題の日本語」には、〈問題として出されている日本語〉〈問題になっている日本語〉などの意味と、〈問題のある、変な日本語〉という意味がありますが、「問題な日本語」には、前者の意はなく、〈問題のある日本語〉の意に限定され、誤解なく伝わるという利点もあります。

【しちにん／ななにん】

【問題な日本語】

話題です！
問題な日本語
第2弾
続弾！問題な日本語
もいっちょ
さらに！問題な日本語
まだまだー
さらに、さらに！問題な日本語
いっとけ！
おまけに！問題な日本語
ん〜〜……
問題な日本語ファイナル！
ーさすがに
もうこのタイトルムリっぽいかも……
やっぱそう思う？
あ、
ーじゃそろそろいっとく？
あっ
これからが
本題な日本語

お疲れ様・御苦労様

[質問]　「御苦労様」と「お疲れ様」では、「お疲れ様」のほうが目上の人に対してふさわしい表現だと聞きましたが、本当でしょうか。

[答え]　「御苦労様」と「お疲れ様」は、似たような場面で使われる挨拶の言葉ですが、使い分けについてはいろいろな意見があるようです。「お」「ご」は接頭語、「様」は接尾語ですが、いずれも尊敬の気持ちを表します。そして、本来の意味から言いますと、「御苦労様（です）」は、相手の苦労（＝努力・骨折り・かけた手間など）に対して労をねぎらって言う言葉であり、「お疲れ様」は、疲れたと思われる相手に対して、同じくねぎらいの気持ちを表す言葉です。

使うのはどっち？　84

「輿論（よろん）」vs.「世論（せろん・よろん・せいろん）」、どれ？

「輿論」は、世間の意見の意で古くから行われていたが、明治期にpublic opinion の訳語として定着。戦後、「輿」が当用漢字になかったことから、言いかえ語「世論（せろん）」が考案されたが、「世論（よろん）」と誤読されて、「輿論」の書きかえ語としての位置を占めるに至った。今「世論」には「せろん」と「よろん」の読みがあるが、「よろん」は＊湯桶《ゆとう》読み、正式には「せろん」だとする説が一般的。似た意味で

「御苦労様」は苦労をかける立場の人から苦労をした人に言うのが自然ですから、目上の人が目下の人に言う挨拶言葉にふさわしいということになります。目下の人は、目上の人が一所懸命働いた結果疲れたと見なして「お疲れ様」とねぎらいの言葉をかけることは許されるでしょう。

ただ、すでに元の意味から離れて挨拶言葉になっているのですから、それほど骨折りをしていない場合にも、特に疲れていない場合にも使うことがあります。その辺が使い分けを難しくしているわけです。

ある敬語の解説書には、「御苦労様」について、「もともと上位の者が下位の者をねぎらって用いることばであり、今日でも、対等もしくはそれ以下の相手に対して用いることが望ましい。なお、対等以上の相手には、「おつかれさま」を用いることができる。」と述べていますし、『明鏡国語辞典』でも、「御苦労様」の項に、「目上の人に対しては「お疲れ様」を使うほうが自然。」という参考情報を付けています。

「世論(せいろん)」もあり、「軍人勅諭」に「世論に惑はず」と出るが、もはやこれは死語だろう。(鳥)

＊湯桶読み＝漢字の熟語で、上の字を訓、下の字を音で読む読み方。

この辺が現在の使い分けの基準だと考えてよいと思いますが、芸能界や放送界では仕事の終わった時に、目上、目下にあまり関係なく、「お疲れ様」と言うのが決まり文句のようですし、「お疲れさん」「お疲れ！」というくだけた言い方もあり、これは同僚や目下に対しても使います。ですから、目上の人には「お疲れ様」を使うことができるといっても、「お疲れ様でした（ございました）」などと丁寧に言わないと、「御苦労様でした」とあまり変わらないやや不適切な挨拶になってしまいます。

（北原保雄）

ポイント

「御苦労様」は、目上の人が目下の人をねぎらうときに言うのが適切です。目上の人には、「お疲れ様」を丁寧に言った「お疲れ様でした」「お疲れさまでございました」などと言うのが適切でしょう。

わけわかんないし。

［質問］　若い人が文末にやたらに「し」を付けて話すのが気になります。「し」をこのように使ってよいのでしょうか。

［答え］　「〜し」は、普通、「この本は安価だし、装丁も悪くない」のように、二つ以上の事柄を並べるのに使います。しかし、最近では、「なぜ、遅刻したんだ」「だって、雨も降ってたし。」のように、文末で理由を述べるのに使われることがあります。また、相手が馬鹿げたことをしたときに、「わけわかんないし。」のように、文末で自分の気持ちをそのまま示すのに使われることもあります。

まず、最初の理由を表す用法について見ていきましょう。若い人から「だって、雨も降ってたし。」と答えられると、年配

使うのはどっち？　85

「消耗（しょうもうVS.しょうこう）」、どっち？

本来的には「しょうこう」が正しく、「しょうもう」は慣用読みだが、すでに定着している。「しょうこう」だけを正解とせず、「しょうもう」も正解とすべきだろう。「しょうもう」は、「こう」と読むべきところを旁《つくり》の「毛」で読んでしまったもの。「洗滌（せんじょう）」「攪拌（かくはん）」なども「せんでき」「こうはん」が本来の正しい読みで、旁の音から類推した我流の読みによる慣用*読み。（北）

の人は、ほかに何か理由があるのか、と問い直したくなります。「〜し」は事柄を並べるので、当然、ほかにも理由があるだろうと考えるからです。

では、年配の人は、これに類した表現はしていないのでしょうか。たとえば、「最近、A社との取引が減ったのはなぜか」と上司に聞かれたとします。「それなんですが、先方の担当者も替わりまして…。」のように答えることもあるのではないでしょうか。このとき、「他の理由は何か」などと即座に問い直されると考えているでしょうか。

「先方の担当者も替わりまして…。」という答えと「先方の担当者が替わったからです。」という答えとを比べてみましょう。「〜から」を使うと理由をそれに限定して、他の理由を排除するのに、「〜て」だと、現時点の分析で考えられる理由を挙げたというニュアンスが感じられます。とりあえずの理由付けですから、より詳細な分析が出たり、もっと的確な理由が見いだせたら、撤回することもやぶさかでない、という意味合いもも

＊慣用読み＝正統的な読み方ではないが、習慣として一般に広く行われている読み方。

たらされます。

　この効果は、「〜て」で列挙する形をとることと、その最初のものとして「先方の担当者が替わった」という事柄を挙げる形にすることからもたらされます。最初に出されるものは、現時点で思いついたものであるとも、最も重要であると見なされたものであるとも解釈できます。列挙の形をとることで、他の可能性も示唆されるのです。

「から」や「ので」で理由を示すと、このような効果は期待できません。「担当者が替わりました」という状況は、「取引が減った」ことの一要因ですが、それにどう対処したかといったことも理由として考えられます。それを「担当者が替わったからです。」などと状況に限定して示すと、「そんなことが理由になるか、替わったら替わったなりのことをやれ」と言われてしまうでしょう。「担当者が替わりまして…。」という答えは、それなりの対処もしているし、他の理由もあるかもしれないが、新しい担当者がなにしろ難物で…といった含みがあるので、こ

使うのはどっち？　86

「情緒(じょうちょvs.じょうしょ)」、どっち？


「じょうしょ」が本来の正しい読み。「じょうちょ」は慣用読みだが、ほとんど定着しているので、誤りとはしがたい。「端緒」は「たんしょ」「たんちょ」が併行。「緒に就く」は「ちょ」が一般的か。「緒言」はまだ「しょげん」が強いか。「由緒」は「ゆいちょ」とはならない。常用漢字表にも「ちょ」の音を載せているから、公認されていることになるが、本来的には「しょ」が正しい読み。

(北)

うした文句もひとまずは避けられます（ただし、文末の「〜て」は、「こっち来て」といった命令や「もう、帰っちゃって」のような非難など、さまざまな表現にも使われます。「〜て」は、あくまで、文脈に支えられて、理由の列挙に用いられるにすぎません）。

若い人たちが使う、理由を表す「〜し」も、これと同様だと考えられます。その時点の最も大きな理由を「〜し」で示しています。やはり、とりあえずのもので、それを撤回する可能性は否定しない、という含みがあります。交際を申し込んで断られた相手に、どうして断るのかと質問して、「だって、好きじゃないし…。」という答えが返ってきたとします。「好きではない」以上の理由など無いはずですが、「〜し」を使うことで、とりあえずの答えの形になっています。「好きじゃないから。」という答えと比べると、まだ、「〜し」で答えられたほうがダメージが軽減されませんか？　このような「〜し」は、聞き手に配慮した思いやりの表現だとも言えるでしょう。

「〜し」は、「〜て」のような臨時の形ではなく、「〜ので」

使うのはどっち？ 87

「十階（じゅっかいvs.じっかい）」、どっち？

「十」は昔の字音仮名遣い*では「じふ」と書かれ、末尾の音はもともとは「フ」だった。同類は「塔・納・法・執・立」などたくさんある。これらが、現在にいたるまでに、「ウ」または促音「ッ」（あるいは「ツ」）に変化した。たとえば、「執」は「執念」のときは「シュウ」となり、「執権」のときには促音「シッ」になる。しかし、決して「シュッケン」とはならない。「ウ」になるか促音になるかは択一である。したがって、「じゅっかい」

や「〜から」では表せない部分を補っています。「明日、どうしましょうか」「いや、○○も××し」のような会話は、学校や職場でも使われているでしょう。ここに「台風も近づいている」「監査もある」など、再考を促す一番大きな理由を入れて示す表現として、安定して使われているようです。

もう一つの、若い人が使う「わけわかんないし。」のような表現は、理由の用法からさらにもう一歩進めた形です。「〜から」や「〜ので」には、「あんたなんか、もう、知らないから。」とか「では、もう帰りますので。」のような自分の気持ちを伝える文末用法があります。これは、「あなたのことは考えない」とか「帰る」ということを理由にして、もう、この場でこれ以上の働きかけはないことを表します。「わけわかんないし。」もこれと同様に、現時点で自分は、相手の言動に対し「わけがわからない」という以上のコメントはないので、それ以上のリアクションは求めないでくれ、ということです。

「〜し」の理由の用法は、まさに「余情」の表現から生まれ

も多く言われるが、「じっかい」が正解。(北)

＊字音仮名遣い＝漢字音を仮名で書き表すときの仮名遣い。

たものです。「〜から」や「〜ので」にない、さまざまな含みをもたらし、相手への思いやりの効果も出せます。しかし一方で、理由を限定することが求められている場面で「〜し」を使うと、その場しのぎの思いつきを述べているのではないかとか、きっちりと決められない優柔不断な態度であると見なされたりすることもあります。「〜し」ばかり使うと、せっかくの効果も薄れてしまいます。「〜から」や「〜ので」と、うまく使い分けるようにしたいものです。

（矢澤真人）

ポイント

「だって、雨も降ってたし。」「だって、好きじゃないし…。」などの「〜し」は、「〜ので」や「〜から」では表せない、〈含みのある理由〉を表す表現で、時に相手への思いやりも表します。ただし、理由を限定することが求められている場面で使うと、その場の思いつきだと受け取られたり、優柔不断な印象を与えたりするおそれがあります。

【わけわかんないし。】

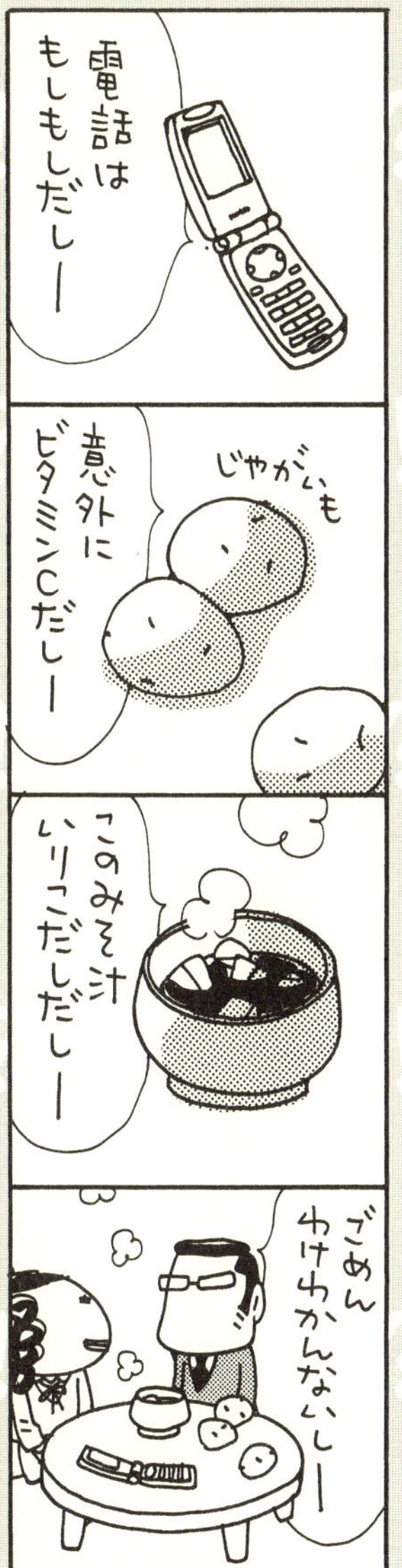
電話は
もしもしだしー
じゃがいも
意外に
ビタミンCだしー
このみそ汁
いりこだしだしー
ごめん
わけわかんないしー

【じゅっかい／じっかい】

10階でございます
樹海!?

足元がおぼつきません

［質問］　最近「足元がおぼつきません」というような言い方を耳にするのですが、間違いではないでしょうか。

［答え］　ご指摘のとおり、これは誤った言い方です。「おぼつきません」という言い方をするのは、「おぼつく」という語を念頭におき、これを丁寧に言おうとして、「ません」を付けて打ち消した形にしているわけですが、「おぼつかない（＝はっきりしない。また、しっかりとせず頼りない）」は一語の形容詞であって、もともと「おぼつく」という語（動詞）が存在するわけではありません。「おぼつかない」の語源としては、「おぼ」はもともと「おぼろ」「おぼめく」などと共通のぼんやりとした状態を表すもの、「つか」は、「ふつつか」などと共通の、

使うのはどっち？ 88

「口腔（こうくうVS.こうこう）外科」、どっち？

「腔」の旁《つくり》は「空」だから、「くう」と読みたくなるが、正しくは、「腔《こう》」「口腔《こうこう》」。「口腔外科」の場合も「こうこうげか」である。ところが、医学では一般に「こうくう」と言い、正式の学術用語としても「口腔《こうくう》外科学」「口腔《こうくう》疾患」のように言う。誤読を承知で「こうくう」としたのは、同音語「口喉《こうこう》」と紛れやすいからだという。（鳥）→次項参照

ある状態を表すものだったとみられます。最後の「ない」ですが、これは、形容詞の「ない（無い）」ではなく、「いとけなし（＝おさない）」「かたじけなし（＝恐れ多い）」「むくつけなし（＝気味が悪い）」などと共通の、程度がはなはだしい意を表す接尾語だとみられています。

接尾語の「ない」というのは、よくわからないところがありますが、「せわしい」に対する「せわしない」の場合などでみると、「ない」が付いた語形も意味は〈いそがしい〉〈せかせかしている〉で共通なので、この「ない」は形容詞「無い」とは考えられません。そこで、古くから形容詞の「無し」とともに接尾語「なし（甚し）」が存在していたのだと考えられてきているのです。もっとも、この接尾語「なし」も、「無し」と共通する否定的な意味やマイナスのニュアンスを伴うことが多く、語源としては共通するものではないかという説も提出されています。「おぼつかない」を「覚束ない」のように書くのは当て字ですが、室町時代のころの古辞書で「無覚束（オボツカナ

使うのはどっち？ 89

「施行（しこう VS. せこう）」、どっち？

一般に、「施工」は「せこう」だが、「施行」は「しこう」。しかし、役所の世界は一般とは違って、「施行《しこう》」と「執行《しっこう》」との衝突を避け、「施行」は「せこう」と言う（読む）慣用があるという。「架線《がせん》」「写植《しゃちょく》」「口腔《こうくう》」「市《いち》立《りつ》」「経常《けいつね》利益」などの読みも、同音の衝突による混乱を避けようとする工夫だ。（鳥）

シ）」のように書いたものも多くあり、これは、当時から、こうした接尾語「なし」が形容詞「無し」として理解されてきたことを示すものです。

さて、この「おぼつかない」を「おぼつかぬ様子」のように使ったり、「おぼつきません」のように使ったりするのは、明らかに誤用なのですが、すでに明治時代に「おぼつきそうもなく」（尾崎紅葉・多情多恨）のように使われた例もあり、かなり以前から誤解されることがあったようです。

では、「足元がおぼつかない」を丁寧に言いたいときは、どう言ったらよいでしょうか。これは、形容詞を丁寧表現にする言い方という一般的な問題になりますが、「おぼつかないです」のように「です」を直接付けるのは、特に文章語としては避けたいところです。「です」は「だ」の丁寧語ですが、形容詞に「だ」を付けて「大きいだ」などとは言わないところから、それを丁寧語にした「大きいです」もやや不自然な感を与えるからです。ただ、口頭語では「形容詞＋です」は以前から使われ

使うのはどっち？ 90

「掉尾（ちょうびvs.とうび）を飾る」、どっち？

「掉尾を飾る」は最後になって勢いがよくなること。「とうび」と誤って読まれることが多く、慣用読みとして認めている辞書もあるが、本来的には「ちょうび」が正しい。旁《つくり》が「卓」であることから類推して「たくび」と読まれることもあるが、これは誤り。（北）

てきましたし、国語審議会の「これからの敬語」（昭和二七年発表）でも、「大きいです」「小さいです」などは、平明・簡素な言い方として認めてよい、としています。ですから、一概に「形容詞＋です」が不適切というわけではありませんが、「かたじけないです」「つつがないです」など、やや古風な、文章語的な形容詞に「です」を付けると違和感があるように、「おぼつかない」の場合も、「おぼつかないです」は避けたほうがよいと言えるでしょう。となると、「おぼつかのうございます」という形が考えられますが、これは、あまりにも改まりすぎていて、一般には使えそうもありません。結局、「足元がおぼつかない状態［様子・有様］です」のように、語を補って表現するのが適切だ、ということになります。

（小林賢次）

ポイント

●「おぼつかない」は一語の形容詞なので、「おぼつきません」という言い方は間違いです。丁寧な表現としては、「おぼつかない状態です」などと言うのが適切です。

〝問題な日本語〟をたくさんお寄せくださり、
どうもありがとうございました。
引き続き、ご指摘をお待ちしています。
http://www.taishukan.co.jp/meikyo/

[編著者紹介]

北原保雄（きたはら　やすお）
1936年、新潟県柏崎市生まれ。1966年、東京教育大学大学院修了。文学博士。筑波大学名誉教授（前筑波大学長）。独立行政法人日本学生支援機構理事長。

■主な著書

[文法関係]『日本語の世界6　日本語の文法』（中央公論社）、『日本語助動詞の研究』（大修館書店）、『文法的に考える』（大修館書店）、『日本語文法の焦点』（教育出版）、『表現文法の方法』（大修館書店）、『青葉は青いか』（大修館書店）、『達人の日本語』（文藝春秋）、『クイズ！日本語王』（大修館書店）など。

[古典関係]『狂言記の研究』全４巻（共著、勉誠社）、『延慶本平家物語　本文篇・索引篇』（共著、勉誠社）、『舞の本』（共著、岩波書店）など。

■主な辞典

『古語大辞典』（共編、小学館）、『全訳古語例解辞典』（小学館）、『反対語対照語辞典』（共編、東京堂出版）、『日本語逆引き辞典』（大修館書店）、『日本国語大辞典　第２版』全13巻（共編、小学館）、『明鏡国語辞典』（大修館書店）など。

続弾《ぞくだん》！問題《もんだい》な日本語《にほんご》――何《なに》が気《き》になる？　どうして気《き》になる？

NDC810　178p　19㎝

初版第１刷――2005年11月 3日
　　第２刷――2005年11月10日

編著者――――北原保雄《きたはら　やすお》
発行者――――鈴木一行
発行所――――株式会社大修館書店
〒101-8466　東京都千代田区神田錦町3-24
電話03-3295-6231（販売部）　03-3294-2352（編集部）
振替00190-7-40504
[出版情報]http://www.taishukan.co.jp

装丁・本文デザイン――井之上聖子
印刷・製本――文唱堂印刷株式会社

ISBN4-469-22172-4　　Printed in Japan